D1459179

OK
Karma

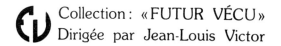

Collection : «FUTUR VÉCU»
Dirigée par Jean-Louis Victor

DANS LA MÊME COLLECTION :
— Vaincre la Mort, Réussir la Vie
— Passeport pour vivre l'ère du Verseau
— Nous sommes tous médiums... Vous aussi.

© Éditions de Mortagne 1979
Tous droits de traduction, d'adaptation et de reproduction réservés
pour tous pays.
Dépôt Légal : 1er trimestre 1979
Bibliothèque Nationale du Québec
Bibliothèque Nationale du Canada

ISBN 2-89074-001-3

Jean-Louis Victor

OK Karma

Comment transformer ses échecs en triomphes

Préface
de
A. Nahon
psychologue

 Editions de Mortagne

TABLE DES MATIÈRES

REMERCIEMENTS

Je tiens à remercier, ici, ceux dont l'exemple et les enseignements m'ont permis de franchir certaines étapes difficiles de ma vie et en hommage desquels j'ai tenu à réaliser ce livre :

— Suzanne MISSET-HOPÈS, pour sa haute intelligence et la puissante amitié spirituelle qui nous lie.

— Samuel GRIOLET, pour son sens de l'humain.

— Alfred NAHON, pour son espoir en l'homme réalisé et son expression positive et créatrice.

À tous les trois, merci, par-delà l'espace et le temps.

Jean-Louis VICTOR

PRÉFACE

L'angoisse est au détour des âmes, au coin de la rue, partout cachée, étalée, criée. Maladie contagieuse, maladie « à la mode », elle n'est pas incurable. Son traitement radical ne se trouve-t-il pas dans ces pages, pour qui sait lire, méditer, absorber, « se laisser faire » ?

Notre époque se caractérise par l'expansion, toutes les expansions : de l'infiniment petit à l'infiniment grand.

Les religions et les philosophies sont contraintes, pour être entendues, de se mettre à l'heure, à l'heure de la science et de ce prodigieux XXIe siècle qui frappe déjà à notre porte.

Une philosophie digne de ce nom se doit d'épouser la vérité et la dynamique scientifiques. En somme, une philosophie sera scientifique ou ne sera pas.

Or, à la lueur de la science et à l'aide des techniques, la condition humaine change, entre dans une nouvelle perspective. L'homme à la fois grandit et diminue à vue d'œil, chaque jour un peu plus, dans le contexte gigantesque où soudain il se voit inséré. S'il le voit ! La philosophie c'est VOIR LE CONTEXTE. L'angoisse, c'est NE PAS LE VOIR.

La philosophie intégrale met l'être pensant en état d'expansion permanente, lui permettant ainsi de voir LE TOUT. La vie, le sens de la vie, l'amour de la vie, sont à l'étroit dans leurs limites. Les horizons les plus larges ne sont que des horizons, c'est-à-dire des limites apparentes, donc fausses. Il faut aller toujours plus au-delà, tout inventorier, tout investiguer. Et avec quoi, sinon avec le véhicule de la pensée, du raisonnement, de l'expérience vécue.

Partons pour tous les voyages. Ne restons jamais sur place. Expansion : de la réalité visible à la réalité invisible. Expansion : du plan de la vie matérielle au plan de la vie de l'être que nous sommes au grand commun dénominateur de tous les êtres, le Grand Être, celui qui les contient tous, celui qui règne, le maître des naissances et des morts. Expansion : hors du terre-à-terre, du jour-le-jour et du soi-à-soi. Expansion : du présent à l'avenir, à l'éternel présent. Expansion : du sens de la dualité au sens de l'unité. Expansion : du périssable à l'impérissable, ce qui était avant nous et qui sera après nous, éternellement. Expansion : de l'individu à l'humanité, et de l'humanité dans le cosmos. Expansion : de la pensée à l'action — une action pour toujours plus d'amour, au-delà du bien et du mal.

Que ne connaissons-nous pas comme exemples et existants d'expansion ? Cette expansion, l'amour. Cette expansion, l'espoir. Cette expansion, le désir. Cette expansion, l'art. Cette expansion, la pensée. Cette expansion-promotion, la mort. Cette expansion, l'idéal. Cette expansion, la prière. Mais l'expansion la plus fructueuse et la plus durable pour l'âme angoissée est la philosophie scientifique, qui transforme le courant négatif de l'esprit en courant positif. Dès lors, l'expansion devient créatrice et dévoile en permanence l'Amour caché partout.

En totale communion d'idées et de pensée, je tiens à féliciter Jean-Louis Victor pour la réalisation de cet ouvrage. Il a su, dans une présentation accessible à tous exprimer des idées-forces essentielles et je souhaite à ce livre, auquel j'ai été heureux de participer, tout le succès qu'il mérite.

Qu'il soit un encouragement pour ceux qui ont compris, un espoir pour ceux qui cherchent, une solution pour ceux qui souffrent.

Alfred NAHON,
Psychologue

AUTEUR

Né en 1943, Jean-Louis VICTOR est le petit-fils d'un des grands médiums contemporains : Jeanne LAVAL, sujet doué de facultés réceptives surprenantes à qui nous devons des travaux remarquables sur la communication médiumnique avec d'autres plans d'existences.

Après avoir enseigné la philosophie en classes terminales à Montpellier (France), Jean-Louis Victor se consacre totalement à l'observation des recherches parallèles et passe de nombreuses années à étudier les phénomènes paranormaux tant sur le plan de l'expérience vécue que dans leur prolongement idéologique.

Il fut l'un des premiers à vulgariser ces questions dans le grand public, par des conférences très remarquées, afin de permettre à chacun une approche constructive de la connaissance paranormale trop longtemps réservée à des cercles fermés.

Jean-Louis Victor a dirigé la première encyclopédie en 7 volumes « *L'Univers de la Para-*

psychologie et de l'Ésotérisme», *véritable événement dans l'édition sur le plan littéraire, philosophique, scientifique et iconographique. (Éditions Martinsart-Paris).*

Jean-Louis Victor dirige actuellement la collection «Les Grands Classiques» de la parapsychologie, de l'ésotérisme et de la spiritualité, afin de faire connaître les œuvres oubliées de l'antique vérité. (Éditions Pygmalion, Paris).

Ses livres, ses articles de presse, ses conférences internationales et le sérieux dont il entoure ses recherches assurent l'authenticité de sa démarche et font de Jean-Louis Victor, un des spécialistes les plus en vue à l'heure actuelle.

INTRODUCTION

« Ne pas pleurer, ne pas s'indigner, mais comprendre »...

SPINOZA

« O.K. Karma », est une formule énergétique pour les épreuves de l'existence dans une acceptation positive d'une situation donnée. C'est la prise de conscience de l'épreuve inévitable dans un enchaînement de circonstances que l'on subit, en apparence, puisque le Karma c'est la destinée.

Face à ces situations par lesquelles nous passons tous, il y a deux façons de réagir :

— Soit par une attitude négative qui conduit à la dépression sans résoudre les problèmes,

— Soit par une attitude négative qui conduit à la l'être de franchir l'étape difficile par l'effort sur soi et par la recherche dynamique des solutions. C'est là que le libre-arbitre (ou moi conscient) entre en lutte contre le Karma (ou destinée).

L'attitude de chacun face aux situations difficiles a beaucoup d'importance quant aux résultats à obtenir.

Un sujet courageux face aux obstacles finira par mettre en route des processus favorables à l'élimination des épreuves. Pour cela il faut rester positif, même si les circonstances sont les pires, par une détermination intérieure de ne pas céder, ce qui finit par forcer la tournure des événements grâce à l'orientation de la structure énergétique et vibratoire.

Le but de ce livre est d'apporter à chacun des possibilités constructives favorisant une approche efficace des épreuves de la vie de tous les jours en vue de les «déconnecter».

Nous vivons une fin de siècle difficile, nous le savons tous. Il ne faut surtout pas se laisser aller car la conjonction actuelle donne à chacun la chance d'accélérer son évolution par le passage à des mutations psychologiques et spirituelles.

Plus que jamais, il faut se prendre en charge,

Plus que jamais, il faut réagir contre l'adversité,

Plus que jamais, il faut éveiller son être intérieur en se mettant à l'écoute de sa force et de ses possibilités.

Nous avons tous une victoire à remporter, c'est celle de la lutte contre les éléments négatifs qui jalonnent notre vie.

Ne nous laissons pas gagner par la peur, les chagrins, les angoisses psychologiques.

En nous-mêmes sommeillent tous les espoirs, toutes les sagesses, tous les devenirs : il suffit de s'écouter vivre pour en avoir la certitude. C'est cela la vraie révolution que chacun doit accomplir et nous pouvons tous la réaliser.

Attentif à l'audition intérieure, l'homme prend conscience de sa vraie valeur et du sens particulier de sa vie : les horizons entrevus méritent que chacun de nous s'arrête un instant lorsque les problèmes surgissent et se dise avec force, volonté et détermination :

O.K. Karma
Je t'accepte
Je vis avec toi
Je mourrai avec toi...
mais je serai le vainqueur.

Jean-Louis VICTOR

LES LOIS D'HERMÈS

Pour donner une idée des lois qui régissent le fonctionnement de l'Univers, voici celles transmises par Hermès trismégiste.

Il n'est pas d'exposé plus clair, plus bref que celui qui nous vient du plus ancien des Pharaons d'Égypte. Ce chef-d'œuvre, découvert récemment, ne date pas d'hier puisque Hermès est considéré comme le trait d'union entre les civilisations disparues Atlante, Lumérienne et celle à laquelle nous appartenons.

Voici ces lois, au nombre de sept :

Première loi : TOUT EST ESPRIT, L'ESPRIT EST TOUT.

Cette loi affirme le pouvoir de l'Esprit, le néant de la matière, qui n'est qu'une relativité toujours changeante. C'est la base même de ce traité, comme on le verra par la suite.

Deuxième loi : CE QUI EST EN HAUT EST COMME CE QUI EST EN BAS.

C'est la loi d'analogie qui permet de nous faire

une idée des choses qui, autrement, resteraient inexplicables pour nous. Grâce à elle, on déduit ce qui se passe dans l'invisible, en observant le visible : les configurations célestes, considérées comme schéma de la vie terrestre, en sont une application. Les alternances de la veille et du sommeil qui donnent une idée de la vie et de la mort en sont une autre.

Troisième loi : TOUT EST VIBRATION, RIEN N'EST INERTE, TOUT VIBRE...

La science moderne vient de le redécouvrir.

Quatrième loi : TOUT EST DOUBLE, TOUT A DEUX FACES, TOUT A DEUX PÔLES.

La somme des pôles positifs constitue l'Être, celle des pôles négatifs n'est que le néant. L'être humain est double, composé de l'individualité et de la personnalité.

Le mot amour met cette loi en évidence : il y a l'amour égoïste, qui est le désir de possession, et son opposé, l'amour altruiste, qui est le don de soi-même.

On observe cette loi partout, en électricité, par exemple, etc...

Cinquième loi : TOUT INSPIRE ET EXPIRE, TOUT MONTE ET DESCEND, TOUT S'É-QUILIBRE PAR OSCILLATIONS COMPEN-SÉES.

La respiration, les mouvements de la mer illustrent cette loi. C'est aussi le moyen d'avoir la possibilité de se soustraire au mouvement rétrograde ou dégradant par neutralisation (maîtrise de soi).

Sixième loi : TOUTE CAUSE A UN EFFET, TOUT EFFET A UNE CAUSE.

C'est la loi des conséquences, des responsabilités ; elle situe le degré d'évolution de chacun. C'est aussi la base de la science expérimentale.

Septième loi : TOUT POSSÈDE UN PRINCIPE MASCULIN ET UN PRINCIPE FÉMININ.

C'est la loi du genre, la loi des sexes, que l'on observe partout dans la Nature.

Dans les chapitres suivants, nous allons apprendre à nous servir de cet instrument sublime et tout-puissant qu'est la Pensée Créatrice. Nous verrons comment, par son maniement, nous pouvons et devons reconquérir la liberté compromise, quitter progressivement l'ambiance égoïste centripète de la nature et aller vers le côté force centrifuge et progresser vers le Divin. La pensée permettra de nous perfectionner et aussi de réaliser les productions matérielles nécessaires à nos besoins.

COMMENT TRANSFORMER SES
ÉCHECS EN TRIOMPHES

Il n'y a pas d'histoire plus connue que celle de Joseph vendu par ses frères, emmené en esclavage en Égypte, s'élevant, par sa haute intelligence, jusqu'au rôle de premier ministre chez le Pharaon, et sauvant ensuite ses frères et son vieux père de la famine qui sévissait dans leur pays de Chanaan en les faisant venir auprès de lui. Un abominable forfait a pour conséquence finale le salut de la famille qui devait devenir un grand peuple. C'est ce que Joseph exprima en disant à ses frères : « Le mal que vous pensiez me faire a été changé en bien ».

Nous aurions évidemment tort de compter régulièrement sur un aussi extraordinaire concours de circonstances pour réparer nos fautes et pour tirer de nos balourdises, à brève ou longue échéance, les effets les plus heureux. Et, justement, ce que nous vous proposons dans ce livre est d'un résultat infiniment plus sûr, absolument sûr même, puisque ce ne sera pas du tout sur le hasard des événements que nous compterons pour racheter les manquements et les bévues, ni pour réparer nos malheurs. Non : ce sera de nos propres attitudes et de nos propres réactions toujours possibles en face des événements, ce sera du fond de nous-mêmes, ce sera de notre seule volonté libre que nous attendrons les infaillibles moyens de transformer nos échecs en victoires, de faire germer des progrès et des joies sur les défaites de la vie et de changer en bien le mal, quel qu'il ait pu être ! Insuccès dans nos entreprises matérielles, échecs tout au moins apparents dans la noble entreprise de nous perfectionner nous-mêmes et d'apporter le bonheur à autrui, maladies ou infirmités, déceptions d'amour ou autres, chagrins de toute sorte et de toute origine, tout cela va faire l'objet de nos divers chapitres, et nous verrons comment tout cela peut devenir occasion de victoire et terrasse d'envol pour nos ascensions futures.

« Il n'y a pas d'événements misérables, a dit Maeterlinck, il n'y a que des événements misérablement accueillis ».

Autrement dit, c'est nous qui donnons aux événements leur sens et leur caractère ; les seuls vrais événements se passent en nous. Notre vraie richesse est dans notre âme, et nul ne peut nous la ravir. C'est l'homme intérieur qui est tout ! À nous de le créer !

Nous avons donné ici, aux personnes qui ont subi des échecs dans l'exercice de leur carrière, dans leurs différentes démarches ou dans leurs tentatives pour se faire des amis, des raisons d'espérer. Nous avons indiqué les causes les plus fréquentes, les plus souvent ignorées, de ces insuccès divers, et donné d'une façon générale les plus sûrs moyens de réussir dans la vie et de conquérir le vrai bonheur pour soi comme pour les siens par l'accroissement constant de sa valeur personnelle.

LES ÉCHECS SONT DES EXPÉRIENCES COÛTEUSES, MAIS FRUCTUEUSES

Commençons par une simple vérité de bon sens: nous sommes instruits par nos échecs. Il n'y a même guère que nos déconvenues pour nous instruire vraiment, pour nous faire réfléchir sur leurs causes, pour nous faire dire, comme une petite correction aux enfants: «Je ne recommencerai plus!»

Une déception dans le passé, ce sera même plus qu'une victoire pour l'avenir, ce sera une série indéfinie de victoires que nous remporterons désormais à chaque occasion, par notre sagesse, par notre prudence chèrement achetées.

Pour transformer nos échecs en victoires, il faudra donc commencer par le nier carrément! Oui! il faudra nous dire: «Ce n'est pas un véritable échec que j'ai subi: c'est une expérience que j'ai faite, c'est un enseignement que j'ai reçu et dont je vais tirer profit, c'est pour moi l'occasion d'un progrès inattendu. »

Voici un homme riche qui vient de perdre sa fortune au jeu. Il songe au suicide. Puis il se ressaisit. Il ne doit pas abandonner les siens. Il se met au travail pour la première fois de sa vie. Il nourrit sa famille, il élève ses enfants. Il apprend à connaître les joies du foyer. Il n'aurait jamais cru que l'existence, dans l'effort, pût avoir une telle saveur. Il a transformé son échec en victoire !

Mais le bien n'est sorti du mal que par la force de sa volonté. Tout est dans le caractère. N'est-ce pas le noble caractère de Joseph qui a pu changer un forfait en bienfait ?

Il peut fort bien se faire, d'ailleurs, que nous n'ayons absolument rien à nous reprocher, que notre échec soit dû à une circonstance indépendante de notre volonté et impossible à prévoir ; que d'affaires, par exemple, qui semblaient de tout repos, peuvent engloutir nos biens ! Que d'accidents ! Que de sinistres ! Que de maladies !

En ce cas, votre victoire, ce sera de relever la tête et de mettre courageusement en œuvre tout ce qui vous reste de moyens ! Voyez Gutenberg : entièrement ruiné par la perfidie d'un infâme associé qui s'appropria tous les bénéfices de sa magnifique invention, il s'appliqua aussitôt à fonder un nouvel établissement et ne cessa pas de perfectionner les procédés de l'imprimerie après l'avoir créée.

Voyez Denis Papin ! Abreuvé de déceptions

et de persécutions, victime des pires jalousies, voyant le bateau à vapeur qu'il avait inventé mis en pièces par les bateliers du Weser, il inventait toujours, sans se laisser abattre, de nouvelles améliorations à ses machines, qui ont transformé la vie de l'humanité !

Tout dépend donc de nos attitudes en face de la vie ; les vrais malheurs et les vrais bonheurs, les vraies défaites et les vrais triomphes sont contenus dans notre caractère, dans la faiblesse ou dans la force de notre volonté ! Et nous voulons en donner encore deux exemples historiques :

Dans le premier, nous voyons un homme de caractère faible qui devient la victime de ses passions et transforme alors en désastres les premiers triomphes de son talent. Il s'agit du célèbre peintre italien du XVIe siècle, Guido Reni, que nous appelons le Guide. Il acquit, de bonne heure, la plus haute renommée, à tel point que le pape Paul V l'appela à Rome et allait passer avec lui des heures dans son atelier. Ses succès et ses richesses le perdirent : la débauche et le jeu engloutirent sa fortune. Devenu indifférent à l'art comme à la gloire, ayant laissé s'éteindre en lui jusqu'à l'ombre de son talent, il mourut dans la fainéantise, la misère et le mépris général.

Dans notre second exemple, qui nous est fourni par Honoré de Balzac, nous voyons une volonté de fer transformer en victoires, dans l'ordre de la création littéraire, ses déconvenues dans l'ordre matériel. Il se lançait dans toutes sortes d'entreprises industrielles et commerciales, où son manque de sens pratique le faisait échouer piteusement. Il dit lui-même : « En 1828, je n'avais que ma plume pour gagner ma vie et payer 125 000 francs de dettes. » Il se met à écrire plus de douze heures par jour ; il entreprend sa Comédie Humaine et met sur pied une des œuvres les plus gigantesques du XIXᵉ siècle.

L'aisance qu'il convoitait aurait-elle été pour lui plus féconde que sa lutte contre la misère ? Une vie trop facile risque toujours d'être la mort de l'esprit !

Ainsi, quand nous vous parlons de transformer en victoires vos déboires financiers, nous ne prétendons pas vous offrir une baguette de prestidigitateur qui, d'un chapeau vide, fera jaillir des millions. Mais ce que nous vous apportons est ce qu'il y a de plus réel et de plus sûr, parce qu'entièrement conforme aux lois les plus profondes de la nature humaine. Comprendre l'insuffisance et le vide des biens matériels perdus, saisir la valeur suprême des efforts qu'il est toujours en votre pouvoir d'accomplir, éprouver la satisfaction intime et infiniment précieuse qui les accompagnera, goûter la sainte ivresse d'une lutte acharnée contre le malheur : voilà un projet que vous pouvez certainement retirer de notre message. C'est d'ailleurs, la faculté de l'effort qui, seule, peut vous permettre de reconquérir tout ou partie des avantages matériels perdus, mais l'effort à lui seul donne l'impression de la plénitude et la joie du triomphe, car il est en lui-même, quels que puissent être ses résultats, la plus belle victoire de l'homme, celle qui contient toutes les autres !

Oui, l'essentiel dépend de nous, l'essentiel se passe en nous ! Et nous pouvons admirer la profondeur du mot célèbre d'un des sept sages de la Grèce, Bias de Triène, lorsqu'il quittait cette ville où étaient auparavant toutes ses possessions et qui venait d'être mise à sac : il déclarait, en levant ses mains vides : « J'emporte tous mes biens avec moi ! »

EXERCICES. — Comme application de ce qui précède, nous vous recommandons les exercices de réflexion et d'autosuggestion que voici :

I – RÉFLEXION

Prenez un quart d'heure chaque soir, avant votre sommeil, pour répondre aux questions suivantes :

1. Quels sont les divers échecs d'ordre matériel que vous déplorez dans votre vie passée ? dans l'année ? dans la semaine ? Ont-ils vraiment l'importance que vous leur avez attribuée sur le moment ?

2. Quelles en ont été les causes ? Étaient-elles entièrement dans des événements imprévisibles et indépendants de votre volonté ? N'étaient-elles pas aussi et principalement en vous-même ? Précipitation ou lenteur excessive de vos décisions ? Imprévoyance ? Imprudence ? Insuffisance de réflexion ? Entraî-

nement par des tendances et des désirs qui auraient dû être dominés?

3. Demandez-vous surtout comment vous pouvez, à l'avenir, réagir contre ces habitudes néfastes, contre ces dispositions intérieures. Vous seul savez vos « défauts de la cuirasse ». Vous seul devez forger vos propres armes.

4. Enfin, songez que le succès extérieur, et en particulier le succès pécuniaire, n'est rien à côté de la richesse de la vie intérieure; songez que la tranquillité et l'approbation intime d'une conscience satisfaite, que la loyauté, l'effort et le don de soi à ceux qu'on aime et au triomphe d'un idéal sont les vraies valeurs et le vrai bonheur; songez surtout qu'aucune catastrophe ni aucune puissance humaine ne peuvent vous ravir ces biens suprêmes; et, lorsque vos échecs matériels vous auront appris cela, vous les aurez transformés en victoires![1]

II – AUTOSUGGESTION

Répétez vingt fois de suite, le soir, avant le sommeil, le matin dès votre réveil, les formules générales que voici:

« Les pertes que j'ai subies ne sont pas aussi importantes que je l'ai cru. Je les réparerai par mes efforts et mon travail.

« Je suis plein de courage, et c'est l'essentiel.

---

[1] Lire l'ouvrage remarquable « L'Heure des Révélations » de Jeanne Laval. À paraître aux Éditions de Mortagne.

Je tirerai le meilleur parti des événements. À quelque chose malheur est bon. Des conséquences heureuses vont m'apparaître.

« Par la force de ma volonté, je changerai mon échec en victoire. J'aurai toujours la suprême joie d'avoir fait mon devoir. »

Mais les meilleures formules seront celles qui se trouveront le plus en rapport avec les circonstances particulières de votre vie. Celles-là, nous ne saurions vous les fournir, c'est à vous de les inventer, et ce sont justement les expressions que l'on a inventées qui deviennent le plus puissamment actives.

L'ART DE RENDRE FÉCONDES LES DÉCEPTIONS ET BIENFAISANTES LES DOULEURS

Notre sujet nous impose de mettre en évidence les bienfaits possibles de la douleur. Chacun songe ici aux vers sublimes d'Alfred de Musset chantant le rôle fécond de la souffrance humaine :

Le coup dont tu te plains t'a préservé peut-être,
Enfant, car c'est par là que ton cœur s'est ouvert !
[ouvert !

L'homme est un apprenti, la douleur est son
[maître,
Et nul ne se connaît tant qu'il n'a point souffert !

... Rien ne nous rend si grands qu'une grande
[douleur.

Mais les effets des chagrins sont fort différents suivant la façon dont on les supporte ! Tout sera dans notre attitude à l'égard de nos malheurs.

Si nous ne nous appliquons pas à dominer notre souffrance, à la discipliner, à la canaliser pour en faire une force active, elle ne peut que nous désorganiser et nous paralyser. Telles sont les crues des torrents qui ravinent les terres et qui détruisent tout sur leur passage, mais, qui recueillies et rassemblées dans les lacs que nous créons en montagne, deviennent une précieuse source d'énergie.

Beaucoup trop de gens ne songent qu'à noyer leurs peines dans la boisson et dans les plaisirs faciles et grossiers. Vaines tentatives pour tromper sa souffrance ! C'est dans l'action courageuse qu'il faut chercher le remède. C'est elle qui transformera la douleur en beauté !

APPLICATIONS PRATIQUES

Nous souhaiterions que ces modestes pages produisent des résultats plus persistants et plus profonds que l'effet d'une simple lecture ; il faudrait qu'elles apportent aux chagrins inévitables un réel soulagement et mieux qu'un soulagement : il faudrait qu'elles les transfigurent et les transforment en forces, en besognes matérielles et spirituelles, en bonheurs pour tous. Aussi continuerons-nous à indiquer des exercices de pensée et d'autosuggestion qui, pour ne pas rester vains, devront, aussitôt que possible, faire place à l'action directe.

I. Et nous vous dirons, tout d'abord : laissez-vous animer, suggestionner, entraîner, « emballer » par les admirables exemples que vous venez de lire !

Dites-vous bien en les contemplant : « Ce que d'autres ont fait, pourquoi ne le ferais-je pas ? » Oh ! certes, il ne s'agit pas, en imitant, de copier ! C'est l'esprit, la méthode, le principe, l'inspiration, qu'il vous faut saisir pour les reproduire en vous, les transposer, les adapter à votre milieu, à vos circonstances, à votre situation.

Ce sont des questions à vous poser, des problèmes à résoudre, une œuvre de pensée à accomplir, et ce travail salutaire de votre esprit sera pour vous un premier soulagement, une première victoire !

II. Toutefois, ce n'est pas sur le moment même où éclate une immense douleur, ruine complète, rupture déchirante, mort soudaine d'un être adoré, que l'on peut espérer, sauf exception rare, la réalisation immédiate des diverses réactions bienfaisantes dont nous venons de vous entretenir. Il faut évidemment alors laisser passer l'orage ; et ce sera déjà beaucoup si l'on possède assez de force et de méthode pour refouler les impulsions portant aux actes de désespoir. Parler de méthode en des moments pareils ? Mais oui, c'est en tout temps, et surtout en ces moments de paroxysme émotif, qu'il faut savoir faire jouer les lois de l'esprit. Et une loi fondamentale, c'est qu'une idée ne peut être refoulée que par une autre idée, que le psychologue appelle ici « représentation de secours », et qui peut être une idée quelconque, pourvu que notre attention la fixe un instant en nous, serait-ce l'idée d'une peinture sous nos yeux ou d'un objet sous notre main, et, à bien plus forte raison, l'idée des êtres chers qui nous restent, l'idée féconde d'une tâche à accomplir. Cette idée salutaire devient alors le point de départ d'autres idées, et la redoutable crise peut être traversée victorieusement.

III. Ensuite, pour prendre des points d'appui solides dans votre propre nature, songez à une activité quelconque correspondant à vos goûts, et à laquelle, en temps ordinaire, vous vous seriez livré avec plaisir. Tâche obligatoire ou tâche librement choisie, il n'est rien de tel qu'une activité pour dériver une émotion, pour calmer une douleur.

IV. Enfin, vous apercevrez peu à peu, mais certainement, une orientation nouvelle à donner à votre vie active et à votre vie intérieure. Nous vous avons présenté des inspirations, des suggestions, des exemples. C'est à vous de les faire fructifier par une véritable invention morale. Il faut que vous inventiez votre conduite future.

Mais rien n'est plus intéressant que d'inventer !

Si, quelque chose l'est plus encore : c'est de réaliser ses inventions !

Dans le domaine de la mécanique, cela n'est pas toujours aisé. Mais dans le domaine moral, la réalisation est toujours possible ! S'il s'agit d'accomplir les bonnes actions que vous avez imaginées et décidées, aucune force humaine ne saurait vous détourner de cet accomplissement.

Et si ce qui a été malheur pour vous devient, grâce à vous, bonheur pour d'autres, votre propre souffrance change de visage et s'apaise. Alors vous n'êtes plus un vaincu, mais un vainqueur !

LES ÉCHECS DANS VOS EFFORTS
AUPRÈS DES AUTRES
COMMENT GAGNER LES GENS
COMMENT SE FAIRE DES AMIS

Vous avez voulu monter une entreprise, créer une société sportive, faire de la propagande pour une idée ou un parti, gagner des gens à vos convictions, détourner un ami de faire une bêtise, en engager un autre dans une carrière qui lui convenait, ou bien vous créer de nouvelles relations, et vous n'avez pas réussi.

Et vous êtes peut-être bien près de conclure qu'il ne vaut pas la peine de s'employer pour les autres, ni de chercher à agir sur eux, et qu'il n'y a donc rien de mieux que de se consacrer uniquement à ses propres intérêts.

Non, il n'y a pas lieu, pour un insuccès de ce genre, ni même pour plusieurs, de s'enfermer paresseusement dans sa coquille.

Ne renoncez jamais à agir sur les autres dans un but noble.

Mais sachez bien qu'au lieu d'échecs vous ne

compterez que des victoires, pourvu qu'ici encore vous teniez compte des lois fondamentales de la nature humaine, ce que vous n'aviez sans doute pas fait suffisamment jusqu'ici.

Un premier principe : prendre les gens tels qu'ils sont pour en faire ce qu'on veut.

Oui, tels qu'ils sont, avec leurs sentiments, leurs qualités et leurs défauts, leurs goûts, leurs tendances, leurs passions, leurs manies, que vous utiliserez, que vous ferez jouer, que vous canaliserez, que vous orienterez vers vos buts louables et dans l'intérêt mieux compris de tous !

Mais, pour cela, il vous faudra, d'abord, les connaître, et, pour les connaître, les observer, noter leurs propos spontanés, leurs activités habituelles, y réfléchir, les interpréter, entrer en contact avec elles, vous faire estimer et aimer, et alors seulement, mais alors sûrement, vous pourrez les persuader, les entraîner et leur communiquer votre flamme personnelle !

Ce propagandiste, qui n'a récolté encore qu'incompréhension et moquerie, ne s'y est évidemment pas pris de la bonne manière. Il n'a pas su «trouver le contact», il n'a réussi qu'à ennuyer alors qu'il aurait fallu plaire ; il n'a pas cherché à tenir compte de ce que les gens avaient déjà dans la tête et dans le cœur ; il n'y a pas rattaché sa propagande ; il a dit à des paysans ce qui aurait pu convenir pour des ouvriers d'usine ; il a parlé à des gens instruits comme à des ignorants ; ou bien il a fait l'inverse... Qu'il ne s'étonne pas !

Il faut d'abord vous faire cultivateur avec le cultivateur, passionné de mécanique avec le mécanicien, triste avec l'affligé et joyeux avec le gagnant de la Loterie nationale, aussi intéressé que lui par l'emploi de son lot, afin de pouvoir l'intéresser lui-même à vos buts, comme l'apôtre Paul disant : « Je me fais tout à tous, afin d'en gagner quelques-uns. »

Vous auriez voulu vous faire des amis, vous n'avez récolté que de l'indifférence et, finalement, on vous a « laissé tomber ».

Vous auriez eu grand besoin de l'appui de la sympathie d'une personne haut placée pour qui vous aviez même une lettre de recommandation en votre faveur : vous avez été froidement accueilli, vous n'avez obtenu que de vagues promesses, et qui sont restées sans lendemain.

Mais, tout d'abord, avez-vous bien su choisir votre heure ? Avez-vous, pour cela, cherché à connaître les habitudes des gens que vous voulez gagner ? Avez-vous pris toutes vos précautions pour ne pas arriver comme le chien dans le jeu de quilles ?

En admettant que vous soyez tombé aux moments favorables, aux moments de loisir et de liberté où l'on pouvait vous accorder une bienveillante attention, n'avez vous pas abusé quelque peu de cette attention ?

Avez-vous exposé votre cas en paroles brèves, nettes, prenantes, incisives, sans aucun détail oiseux ou mal venu ? N'avez-vous présenté que des raisons indiscutables ? Avez-vous mis dans vos exposés de l'intérêt et de la vie ?

Avez-vous fait entendre une voix claire, des intonations justes ? Il y a des gens qui présentent une requête comme s'ils doutaient entièrement de son bien-fondé !

Et, lorsqu'on vous a fait quelque objection, avez-vous eu la présence d'esprit de répondre avec calme, avec douceur, mais avec la ferme conviction et la puissance de celui qui est pleinement documenté et qui a pour lui la vérité et la justice ?

Car aucun homme au pouvoir, quand ce ne serait que par décence, ne peut refuser d'employer ce pouvoir à réaliser ce qu'on lui présente très évidemment comme étant juste et raisonnable.

Enfin, vous n'avez pas réussi parce que vous n'avez pas su prendre les gens par leur bon côté ou, tout simplement, par leur côté sensible.

Ce point sensible, il faut, d'abord, le découvrir.

Pour cela, observez discrètement, mais soigneusement votre interlocuteur dès la première rencontre. Notez exactement les divers effets de vos paroles. Si polis et réservés que soient les gens, ils laissent toujours percer quelque chose, pour un regard attentif, de leurs sentiments profonds. Vous surprendrez sûrement un léger mouvement d'intérêt ou d'impatience, un petit éclair du regard, une expression du visage, un mouvement de la tête, du buste ou de la main qui vous diront si vous touchez à des objets qui plaisent ou qui ennuient.

Un silence, une réponse, une inflexion de voix doivent être, pour vous, autant de révélations.

Vous n'avez pas réussi parce que vous n'aviez pas préparé assez complètement vos visites de façon à les rendre pleinement efficaces. Il fallait être prêt à changer d'arguments en constatant le peu d'effet des premiers. Il fallait être prêt à apercevoir que vos paroles, pour une quelconque raison inconnue de vous, commençaient à agacer votre interlocuteur et allaient, par suite, contre votre but.

L'art d'entraîner les gens, c'est l'art de se modeler à l'instant sur eux. C'est là une affaire d'intuition, mais cette intuition peut être très considérablement développée par l'exercice.

Certains caractères sont très doués naturellement. Le docteur-psychologue Minkowski les appelle des « syntones », parce qu'ils ont le privilège de se mettre aussitôt « dans le ton », de s'harmoniser instantanément avec les gens qui les entourent. Mais les autres — et ce sont les plus nombreux — ont de la peine à s'adapter rapidement à l'ambiance et aux rencontres imprévues ; les psychologues modernes les appellent « schizophrènes », ce qui signifie : esprits séparés de la réalité ambiante. Ils sont trop portés à s'enfermer en eux-mêmes ; ils ne savent pas en société s'arracher à leurs souvenirs personnels et à leur rêve intérieur. Très souvent, même, ils se plaisent à vivre d'une vie imaginaire en plus de leur vie réelle. Ils satisfont leurs désirs, leurs penchants, leurs ambitions dans des rêveries où ils s'absorbent profondément en s'éloignant d'une réalité qui les blesse et qu'ils préfèrent perdre de vue.

Si vous êtes de ceux-là, la personne dont vous avez besoin aura vite fait de s'apercevoir que vous n'êtes préoccupé que de vos propres buts et que vous êtes incapables de tenir compte de ce qu'elle est et de ce qu'elle veut elle-même, de ses goûts, de ses désirs, de ses idées, de tout ce qui peut lui plaire. Comment voulez-vous, dans ce cas, qu'elle soit bien disposée à votre égard ?

Appliquez-vous donc, d'abord, à sortir de vous-même ; ayez des yeux pour voir les mimiques, les mouvements, les réactions involontaires de vos interlocuteurs, ayez des oreilles pour entendre non seulement toutes leurs paroles, mais aussi toutes leurs intonations. Alors, enfin, vous réussirez parce que vous connaîtrez les gens à qui vous avez affaire, parce que vous aurez saisi entre les mots ou lu sur les visages mille choses qu'on ne vous disait pas, mille choses plus importantes pour vous que celles qu'on vous disait.

Vous réussirez parce que vous deviendrez observateur, et vous deviendrez observateur parce que le tempérament intellectuel du rêveur et de l'inadapté où vous vous êtes reconnu peut-être sera certainement corrigé par une gymnastique convenable de votre esprit : habituez-vous à voir les personnes et les choses, à faire mille remarques sur les objets, les paysages, les costumes, les physionomies et leurs expressions, à écouter attentivement les voix et les paroles ; rappelez-vous, le soir, les observations de la journée, notez-les même par écrit, faites cela tous les jours pendant des semaines et des mois, et vous ne vivrez plus dans la lune, mais dans la réalité !

Dans le fond, toute personne tient beaucoup à ce qu'on n'oublie pas ses paroles, ses opinions, ses préférences, tout ce qu'elle a pu dire d'elle-même et de sa vie. Ce que chacun a de plus précieux, ce sont peut-être ses idées et ses souvenirs. Si vous voulez vous attacher une personne, montrez-lui que vous vous y êtes vivement intéressé, reparlez-lui-en avec amabilité et discrétion, et vous lui deviendrez bientôt aussi précieux que ses idées et que ses souvenirs eux-mêmes !

COMMENT SE FAIRE DES AMIS

Ce que nous avons dit de l'amitié est tout aussi vrai en amour. Pour se faire aimer d'une personne, il faut se préoccuper réellement de son intérêt, de son bonheur, de tout ce qu'elle désire et de tout ce qui la concerne, et le faire passer au premier plan de sa pensée. Ne rien oublier de ses paroles, ni surtout des promesses qu'on lui a faites.

Pouvez-vous être bien sûr que votre échec en amour est définitif ? Vous êtes-vous montré sous votre jour le plus favorable ? Avez-vous cherché suffisamment ce qui pouvait plaire ? Surtout la personne aimée a-t-elle pu vraiment comprendre que vous ne vivriez que pour elle ?

Voici encore dix conseils très faciles à suivre ;

vous y trouverez le secret de vous faire des amis par le seul agrément de votre conversation :

1. Ne fatiguez pas votre interlocuteur par des bagatelles, mais soyez aussi intéressant qu'il vous est possible.

2. N'oubliez pas que ce qui est intéressant pour vous n'est pas nécessairement intéressant pour tous ; donnez brièvement toutes les explications nécessaires pour être clairement compris, en rattachant ces explications à tout ce que vous savez de votre interlocuteur : sa profession, sa famille, son pays, ses relations, etc.

3. Soyez moins préoccupé de briller que de donner aux autres l'occasion de briller. Ils vous en seront plus reconnaissants que de vos propres traits d'esprits.

4. N'humiliez pas vos auditeurs par le pédant et orgueilleux étalage de vos compétences. Ne vous éloignez jamais de la simplicité et de la modestie.

5. Soyez prudent en introduisant des sujets de conversation. Évitez tous ceux qui peuvent blesser et faire naître la dispute. Cherchez tout ce qui unit, fuyez tout ce qui divise. Restez sur les terrains d'entente.

6. Lorsque votre interlocuteur se trompe et que vous êtes sûr d'avoir raison contre lui, ayez soin de ménager sa susceptibilité et son amour-propre. Ne lui infligez aucune contradiction brutale, aucune confusion, aucune humiliation. Ayez le triomphe noble et généreux. Il y a une manière fort désagréable d'avoir raison ! Mais il

y a aussi une manière aimable de tout dire : cherchez-la et vous la trouverez, si vous savez vous mettre à la place des autres. Certaines gens portent la vérité comme une lourde caisse dont les coins heurtent et blessent tout le monde, mais d'autres savent la présenter comme un bouquet de fleurs. Ressemblez à ceux-là, on vous en saura gré. Ne heurtez pas les autres de front, mais mettez en lumière la part de vérité et de justice que vous trouverez toujours chez votre contradicteur ; énoncez alors votre opinion comme un complément ou une conséquence de la sienne : alors seulement vous pourrez le convaincre, et, surtout, vous ne pourrez pas le froisser !

7. Que chacune de vos conversations tienne compte de celles qui l'ont précédée. Prenez tout naturellement la suite de ce qui vous a été dit la veille ou la semaine dernière. Profitez des liens qui se sont déjà établis pour en établir de nouveaux et constituer ainsi un faisceau grandissant et solide.

8. Évitez de médire, vous risqueriez de porter des jugements défavorables sur des personnes que votre interlocuteur connaît et aime à votre insu ; vous vous feriez mal juger vous-même et vous risqueriez de vous créer un ennemi alors que vous voulez vous créer un ami !

9. Est-il nécessaire enfin de vous recommander de saisir aux cheveux toutes les occasions possibles de rendre service aux gens que vous désirez vous attacher ? Rien ne touche plus que les attentions et les prévenances : elles sont si

rares en ce bas monde, où règne un égoïsme assez mal camouflé par la politesse courante! Mais faites preuve d'une amabilité réelle et non pas en surface, et vous serez bien vite repéré et recherché.

10. Évitez avant tout d'être importun et sachez vous faire désirer. Ce conseil deviendra encore plus indispensable à suivre lorsque vous voudrez vous lier à des gens d'une condition supérieure à la vôtre.

La valeur personnelle peut d'ailleurs combler bien des distances, et vous pouvez parfaitement réussir à vous faire des amis plus haut placés que vous et dont vous aurez su vous faire apprécier. Mais, d'ordinaire, vous rencontrerez beaucoup plus de fidélité et de dévouement chez les personnes qui se croiront très flattées d'être reçues chez vous.

11. Rien ne peut vous être plus précieux pour vous attacher les gens que votre faculté de sympathie. Cultivez-la soigneusement en vous mettant par l'imagination à la place des autres. Ces manifestations de la plus haute qualité morale sont, au fond, tout ce qu'il y a de plus conforme à votre intérêt personnel, quoique la sympathie vraie renonce à le poursuivre.

Ainsi le dévouement et la charité sont la suprême habileté. Partagez donc sincèrement les bonheurs comme les déceptions et les deuils de ceux par qui vous voulez vous faire aimer.

D'une façon générale, la bonne humeur, la tendance à voir le bon côté des choses, l'optimisme, un visage souriant, la gaieté lorsqu'elle est de mise sont parmi les plus puissants moyens de plaire, de charmer, d'attirer à soi, de se faire rechercher par tous, même dès les premières rencontres, de rendre de plus en plus intimes et indispensables à vos nouveaux amis leurs relations avec vous.

Et souvenez-vous avant tout qu'un intérêt véritable et sincère porté aux autres est le « Sésame, ouvre-toi ! » de tous les cœurs !

Cet intérêt, cette affection réelle, on les sentira et on vous les rendra, pourvu que vous ayez choisi des gens dignes d'estime. Commencez tôt, et, chez les personnes qui vous paraissaient réservées et froides, vous ne tarderez pas à observer un prompt revirement, vous connaîtrez les bonheurs de l'amitié franche et pure, et, à la place de vos échecs d'autrefois, vous n'enregistrerez plus que de pacifiques victoires !

APPLICATIONS PRATIQUES : EXERCICES DE RÉFLEXION ET D'AUTOSUGGESTION

1. *Réflexion* — A) Rappelez-vous, chaque soir, les démarches et sollicitations tentées par vous auprès des uns ou des autres, dans le passé ou récemment, et qui n'ont pas abouti. La cause en est-elle entièrement imputable au caractère et à la mauvaise volonté d'autrui ? Ne serait-elle pas en partie dans votre propre caractère et dans l'observation des conditions fondamentales énoncées et illustrées au long des

pages qui précèdent ? Voilà ce qu'il faut vous demander très loyalement.

Avez-vous su prendre les gens par leur bon côté ? Vous intéresser à eux pour les intéresser à vos propositions ? Choisir le bon moment et vous montrer assez aimable ? Tenir compte en un mot de ce qu'enseigne la plus élémentaire psychologie ?

B) Rappelez-vous, ensuite, tout ce que vous savez des personnes auprès de qui vous voulez agir ; cherchez bien, par l'imagination, à vivre leur vie : ainsi vous trouverez sûrement le chemin de leur cœur ! Vous les gagnerez de vos convictions, vous les gagnerez à vos convictions, vous les déciderez à tout ce qui est bon et raisonnable.

2. *Autosuggestion* — Les meilleures formules, il faut le répéter, seront pour vous celles que vous aurez vous-mêmes composées à votre usage. Nous nous bornerons à de brefs exemples que vous devez adapter à votre cas, transposer, préciser, enrichir.

Ces formules devront être répétées assez souvent pour vous revenir d'elles-mêmes à l'esprit quand vous vous trouverez en présence des personnes à observer et à mieux connaître. « J'écoute attentivement les gens qui me parlent ; j'observe leurs jeux de physionomie ; je m'intéresse réellement à eux ; à travers leurs paroles et leurs intonations, j'aperçois leurs vrais sentiments. Lorsque je suis devant eux, je ne pense plus à moi, mais à eux. Ainsi je me fais aimer d'eux et je les gagne. »

COMMENT TRANSFORMER EN SUCCÈS LES MÉCOMPTES SUBIS DANS L'EXERCICE DE VOTRE CARRIÈRE

Vous n'avez pas réussi autant que vous l'espériez dans l'exercice de votre profession. Vous n'avez pas obtenu l'avancement sur lequel vous aviez cru pouvoir compter.

Il faut absolument découvrir les causes précises de ces échecs plus ou moins complets et les faire totalement disparaître !

Nous ne saurions évidemment prétendre nous occuper ici de chacune des carrières possibles. Mais nous croyons pouvoir vous donner quelques directives fondamentales, précieuses pour tous ceux qui ont affaire à des chefs ou à un public, c'est-à-dire pour tous les cas.

Cherchez d'abord quels peuvent être vos défauts professionnels, qui sont, au fond, des défauts de votre caractère. Ils sont peut-être minimes en première apparence, mais ils ont suffi pour réduire à néant les effets de toutes vos qualités.

Quand vous aurez éliminé ces défauts, vos qualités personnelles pourront se manifester clairement et produire tous leurs fruits.

Quels sont les défauts les plus fréquents ?

1. Les velléités maladroites et prématurées d'indépendance. Vous n'avez pas attendu d'avoir la pleine confiance de vos chefs pour prendre des initiatives hardies et dangereuses. Persuadés, et peut-être justement, de votre mérite, vous n'avez pas marqué, dès le début, assez de différence, assez d'humilité, vous avez même confondu devant témoins vos supérieurs hiérarchiques, et, alors qu'il fallait leur suggérer simplement la bonne idée, leur laisser croire qu'ils l'avaient trouvée tout seuls, vous avez eu le tort d'avoir trop clairement raison contre eux. Ainsi vous vous êtes attiré leur inimitié quand vous aviez précisément l'occasion d'obtenir une estime spéciale !

2. Vous n'avez pas su, d'une façon générale, vous adapter à vos chefs, comprendre leurs méthodes, leurs intentions, leurs préférences, leurs penchants les plus intimes. Vous n'avez pas su faire momentanément abstraction de vos vues personnelles. Il faut savoir sortir de vous-mêmes, prévenir les désirs des personnes de qui dépend votre avenir, et parfois savoir ce qu'elles veulent, mieux qu'elles ne le savent elles-mêmes : soyez sûrs alors de leur reconnaissance ou, tout au moins, soyez sûrs qu'elles vous con-

fieront des tâches d'un ordre plus élevé et sauront vous rémunérer en conséquence.

3. Vous n'avez pas su prendre les intérêts de l'entreprise. Sans commettre de graves négligences, vous n'avez pas eu l'«esprit de la ruche». Quels que soient vos soucis et même vos malheurs personnels, il faut qu'au bureau ou à l'atelier vous ne viviez plus que pour la «maison» qui vous fait travailler. Plus sont considérables les obstacles qui sembleraient pouvoir vous détourner de votre besogne, plus vos directeurs vous sauront gré de les avoir surmontés. Car ils ont mille façons de juger très justement de l'intérêt que vous portez au but et au succès de l'entreprise. Qu'on nous permette une anecdote significative : un jeune homme se présente pour être employé par la maison Michelin. On lui répond : « Vous serez reçu dans un moment ; veuillez attendre ici. » Et on le fait asseoir sur un banc qui regarde le boulevard. Au bout d'un quart d'heure, on le fait entrer. «Combien avez-vous vu de voitures munies de pneus Michelin depuis que vous êtes là ? — Mais... je n'en sais rien. — Comment ? vous n'avez pas remarqué s'il y en avait un bon nombre, une bonne proportion ? — Eh ! non ! — Alors, vous pouvez vous retirer. Vous êtes incapable de prendre sérieusement les intérêts de la Maison Michelin ! »

Il faut que les administrateurs sentent que les intérêts de l'établissement sont devenus les vôtres !

Ce qui nuit beaucoup à la profession, c'est

57

l'excès d'individualisme. Ayez l'esprit de collaboration qui fait régner la confiance mutuelle,
chacun travaillant dans la joie.

4. Vous n'avez pas réussi parce que vous n'a-
vez pas su vous rendre indispensable.

Il faut absolument que votre chef puisse se
reposer sur vous plus que sur tout autre. S'il
vous a confié une tâche particulière, il faut qu'il
puisse être certain qu'elle sera accomplie à la
perfection et qu'il n'a plus du tout à s'en préoccuper lui-même. Soyez de ceux sur qui on peut
compter, et votre avenir est assuré. Facilitez le
travail de vos directeurs ; évitez-leur de la peine ;
dispensez-les de toute vérification. Attirez sur
vous l'attention en démontrant par votre zèle, je
dirai même par votre enthousiasme, que vous
êtes irremplaçable !

Ne négligez aucun détail. Ayez l'amour du
fini. Introduisez dans votre travail, quel qu'il soit,
de ces petits perfectionnements de méthode qui
font gagner du temps tout en fournissant un
meilleur ouvrage. Ingéniez-vous. Mettez-vous
tout entier dans votre œuvre. Que l'importance
des buts poursuivis soit toujours devant vos
yeux : prospérité de l'entreprise et amélioration
de votre situation personnelle. « Qui veut la fin
veut les moyens. » Toute la grandeur du but
doit donc se reporter à vos yeux sur les plus
humbles moyens. « L'ouvrier qui doit forger une
simple tête de rivet, dit André Citroën, est aussi
indispensable que l'ingénieur pour que la voiture
roule sans catastrophe ! »

Que votre attention soit donc tout entière employée à votre tâche, et qu'aucun prétexte ne puisse la détourner. Vous serez vite repérés par vos employeurs si les causes perturbatrices qui agissent sur vos camarades n'agissent pas sur vous !

Que votre travail ne soit jamais purement machinal, votre pensée étant ailleurs. L'habitude libère, il est vrai, votre esprit et le dispense de la tension pénible de vos débuts. Mais ne laissez pas pour cela votre imagination errer à l'aventure, comme celle d'une ouvrière qui interrogée par un psychologue, lui répondit qu'elle était devenue capable de faire son travail sans y penser, et qu'elle en profitait pour inventer chaque après-midi un roman dont elle était l'héroïne : elle rencontrait d'abord « le prince charmant », puis l'intimité s'établissait peu à peu, et, sa demi-journée finie, elle arrivait au mariage... Je suppose qu'elle variait un peu les détails d'un jour à l'autre, pour ne pas s'ennuyer de son propre rêve ; mais je suis bien sûr qu'elle n'inventa jamais de la sorte aucun perfectionnement de son métier qui pût lui attirer des félicitations !

5. Si vous avez affaire à un public, vous êtes-vous dit : « Je vais attirer les clients par mon amabilité, par ma complaisance, par mon empressement à deviner leurs désirs, à chercher — si vous étiez dans un magasin — l'article pouvant plaire », au lieu d'insister sottement pour faire acheter ce qui, finalement, ne plaira pas ?

Insistons sur la bonne humeur. Elle est essentielle au succès. Rien n'est plus déplaisant à tous qu'un employé «faisant la tête». Qui sait si vous n'avez pas provoqué les plaintes de quelque grincheux ?

En présence de vos supérieurs hiérarchiques, votre bonne humeur jointe à votre modestie désarmeront les reproches et leur feront succéder la bienveillance et l'oubli de vos torts. Elles vous gagneront — ou vous regagneront — la sympathie de tous !

6. Considérez enfin les absences de vos chefs comme des occasions uniques de gagner leur confiance, de faire briller vos qualités, de gravir des échelons ! Qu'à leur retour ils trouvent de la besogne remplie de façon parfaite ; si un problème imprévu se pose pour vous et qu'il vous faille absolument le solutionner sans vos supérieurs, efforcez-vous de deviner ce qu'ils décideraient s'ils étaient là. Sachez éviter les responsabilités trop lourdes et trop dangereuses, et, lorsque votre directeur rentrera, il sera ravi de voir que vous lui avez évité des ennuis et de la peine et ne pourra songer qu'à vous pour de plus hautes fonctions.

EXERCICES PRATIQUES

Réflexion. — Matin et soir, exercez-vous à la concentration de votre esprit sur les idées du chapitre qui précède.

Interrogez-vous loyalement et recherchez, parmi les causes qui y sont énumérées, celles qui peuvent être source de vos propres déconvenues.

Autosuggestion. — Combattez ensuite ces défauts par une autosuggestion persévérante, en imaginant vous-même les formules simples et énergiques qui conviennent à votre cas. Par exemple : « J'aime mon métier, car il est très utile aux autres et à moi-même. » « J'aime le travail parfait et sans reproche. » « Je suis toujours souriant et aimable avec tous. »

Tenez très sérieusement compte de tout ce qui précède dans l'exercice de votre profession, et, au lieu de vos échecs d'autrefois, vous ne compterez plus que des succès et de l'avancement. Votre bonheur sera le fruit de votre succès. Votre succès sera le fruit de votre valeur. Votre valeur sera le fruit de votre rééducation par vous-même !

Ne vous croyez pas incapable de réagir contre des habitudes déjà anciennes ! Si vous êtes encore jeune, vous êtes essentiellement plastique et épris de nouveauté, donc prêt à vous reforger vous-même et à forger du même coup votre avenir.

Si vous avez pris de l'âge, vous avez amassé un capital considérable d'expérience qui va maintenant fructifier !

Que vous comptiez plus ou moins d'années, immenses sont les ressources latentes que votre application fera jaillir à la lumière, pour votre joie et celle de tous !

LES RAISONS QUE VOUS AVEZ D'ESPÉRER TOUJOURS

Du moment où nous avons mis l'accent sur la vie intérieure, du moment où nous avons aperçu en elle la seule vraie valeur et la seule raison d'être de tout le reste et de tout l'univers, nous ne pouvons plus être des vaincus !

Le grand penseur américain Emerson disait : « Ne craignez jamais de rien perdre par le progrès de l'âme. » Or nous venons de comprendre que les événements, quels qu'ils soient, peuvent servir à ce progrès. Les vrais caractères des événements et leur force active ne seront jamais qu'en nous-mêmes et dans notre façon de les envisager. Lorsqu'on parlait à Socrate du caractère absolument insupportable de sa femme Phérarète, qui un jour, dans une colère sans motif, lui jeta dans la boue de la rue ses plus beaux vêtements, il répondait qu'il se félicitait d'avoir une telle épouse, parce qu'il trouvait en elle la plus excellente occasion d'acquérir la patience du sage.

Souffrez-vous d'être condamné, par la faute de vos éducateurs, à une humble situation bien inférieure, dites-vous, à vos aptitudes? À supposer qu'il vous soit impossible d'en sortir, ne vaut-il pas mieux être au-dessus qu'au dessous de ses fonctions? Ne pouvez-vous trouver à employer généreusement autour de vous vos facultés et votre intelligence? Vous vivrez dans la mesure où vous aurez inventé votre vie, dans la mesure où votre imagination aura découvert au sein des moindres circonstances comme au sein des pires déceptions les occasions de ses plus nobles envolées. Par la manière dont nous pensons notre propre existence, il nous appartient de grandir jusqu'à l'infini la petitesse de nos jours!

Il ne peut pas y avoir de défaite de la pensée ni de l'amour. Il ne peut y avoir que refus de penser, refus de vouloir, refus d'aimer. Dans le domaine de la vie spirituelle, on ne peut pas connaître de défaites, on ne peut que commettre des abdications.

L'esprit seul compte.

N'est-ce pas l'esprit de l'homme qui trouvera, dans les formidables forces atomiques, ou bien des agents de destruction pour l'humanité elle-même et pour sa chimérique civilisation, ou bien les plus précieuses servantes de cette même humanité et de son progrès véritable?

C'est donc l'activité de l'esprit qu'il faut avant tout surveiller et orienter, car c'est elle qui est tout!

Votre effort n'est jamais vain, puisque c'est lui qui contient tout !

En songeant bien qu'une noble activité vous est toujours possible, vous serez définitivement persuadés que vous ne pourrez jamais être des vaincus !

Vous ne sauriez être battus lorsque vous cherchez l'idéal, puisque, par cette seule recherche sincère et ardente, vous le réalisez sûrement et pour toujours au cœur même de votre être !

Il n'y a qu'un mal sans remède : c'est la complaisance obstinée en ses propres platitudes, c'est le refus de s'élever à des formes plus hautes de vie !

Mais ce mal-là n'existe pas chez vous, bien au contraire, puisque vous avez voulu ouvrir ce livre.

Vous pouvez donc tout espérer ![1]

---

1. Chapitre réalisé d'après les travaux de Samuel Griolet.

LA RESPIRATION
SOURCE D'ÉNERGIE

La respiration est la plus importante de nos fonctions corporelles ; on peut vivre plus ou moins longtemps sans manger ou boire ; on ne peut même pas vivre quelques minutes sans respirer. La respiration n'a pas seulement comme effet d'oxygéner les poumons, d'aérer, de vivifier le prodigieux torrent de globules rouges qui, à raison de cinq millions par millimètre cube de sang, cheminent sans cesse dans notre organisme, mais aussi de faire pénétrer en nous le fluide vital, la force universelle, ce que les Orientaux appellent le Prana. Les physiologistes orientaux ont, là-dessus, des notions beaucoup plus précises que ceux de l'Occident. Nous respirons tous plus ou moins bien, et beaucoup de nos maux, entre autres la tuberculose, pourraient être évités par une respiration correcte. Je ne puis l'examiner qu'en rapport avec le sujet traité ici.

L'exercice de la respiration permet d'emmagasiner le fluide vital, la force Universelle, le Prana, comme un accumulateur emmagasine l'électricité. Toute Pensée, comme tout effort de volonté ou du muscle, nécessite la dépense d'une certaine quantité de force, de fluide Universel. Or, la respiration étant la principale source d'alimentation de ce fluide, on comprend l'importance de la science du souffle. Le plexus solaire, ou cerveau abdominal, est le grand centre d'accumulation du Prana; c'est lui qui le distribue à nouveau dans les centres nerveux. La respiration a aussi pour effet de brûler, de chasser les résidus toxiques de notre combustion interne, de purifier l'organisme des déchets d'une assimilation incomplète et dont l'accumulation produit la fatigue, puis, à la longue, la vieillesse.

La respiration est un acte réflexe, mais sur lequel nous devons concentrer souvent notre Pensée pour l'exécuter parfaitement et complètement.

Une respiration efficace peut changer les conditions de votre existence à partir d'aujourd'hui. Il faut toujours respirer par le nez, qui filtre et réchauffe l'air extérieur, et jamais par la bouche, qui envoie trop brutalement l'air froid dans les poumons.

De plus, le nez est tapissé, intérieurement, de tout un réseau de terminaisons, de filaments reliés aux divers centres de l'organisme; le passage de l'air, du fluide vital joue, ici, une action directe vivifiante sur ces organes.

En dehors de la respiration régulière, qui doit

être aussi complète que possible, voici, d'après A. Caillet, la respiration intégrale, qui doit être exécutée plusieurs fois par jour pour bien nous charger du fluide vital Universel.

PRATIQUE DE LA RESPIRATION

Premier temps : Se sentir debout ou assis, le buste bien droit. Aspirer par le nez d'un mouvement continu, en dilatant d'abord la partie inférieure des poumons, par l'abaissement du diaphragme, qui vient presser doucement sur les organes abdominaux, puis par l'avancement de la paroi antérieure de l'abdomen lui-même. Ensuite, remplir la partie moyenne des poumons en dilatant les côtes, le sternum et tout le thorax dans toute leur expansion. Enfin, terminer par le haut des poumons, en avançant le haut de la poitrine et en l'élevant le plus possible. Pendant ce dernier temps, l'abdomen se rentrera un peu de lui-même, ce qui donnera un support plus ferme aux poumons et aidera au remplissage de la partie supérieure. Au premier abord, on pourrait croire qu'il s'agit de trois mouvements distincts, mais il n'en est rien ; l'inhalation doit être continue. Il faut absolument éviter une inspiration saccadée et acquérir un mouvement régulier et continu. La pratique amènera la perfection et la facilité. Ce premier temps durera six secondes.

Il convient, en aspirant, de concentrer sa Pensée sur cet acte ; cela nous met en rapport avec les forces supérieures.

Le mot aspiration n'a-t-il pas le sens de tendance vers quelque chose d'élevé?

Deuxième temps : Retenir la respiration durant trois secondes, les poumons intégralement remplis.

Troisième temps : Expirer lentement en maintenant la poitrine ferme et en rentrant un peu l'abdomen, puis en l'élevant légèrement et lentement au fur et à mesure que l'air quitte les poumons. Quand l'expiration est complète (ce à quoi il est aussi important de veiller), détendre poitrine et abdomen. Durée de ce temps : six secondes... ; puis repos de trois secondes et recommencez huit à dix fois le même cycle. »

Au lieu de compter en secondes, il sera préférable de prendre les battements du cœur comme rythme.

On devra augmenter les temps au bout de quelques jours, mais exécuter toujours selon la même cadence, sans toutefois aller au delà de 12 à 15 pulsations pour le temps initial.

Tout sentiment de malaise serait l'indication d'une exagération.

Les effets de la respiration intégrale exécutée dans l'air aussi pur que possible sont des plus étendus et des plus bienfaisants ; d'abord, elle développe forcément la poitrine dans toute son ampleur ; ensuite, elle rend invulnérable aux rhumes, fluxions et autres affections de la poitrine, mais son effet ne s'arrête pas là, il se répercute en une vitalité plus grande de tous les organes ; le mouvement de massage qu'elle imprime à toute la cage thoracique intensifie la circulation et stimule doucement le foie, l'estomac et tous les viscères.

Il faut pratiquer la respiration intégrale autant de fois qu'on le peut dans la journée, et principalement au lever et avant de se mettre au lit.

On recommande aussi, pour stimuler le travail de la Pensée et purifier le système nerveux, la variante suivante :

Opérer comme il vient d'être indiqué, mais aspirer par une seule narine, en bouchant l'autre avec le pouce, puis pincer le nez durant la retenue ; enfin, expirer par l'autre narine. Recommencer en alternant les cycles.

Certains auteurs conseillent des durées un peu différentes aux divers temps de la respiration. Chacun adoptera le rythme qui semble convenir le mieux à sa propre nature.

Quand on est sous l'emprise de l'émotion, quand on a besoin du contrôle parfait de soi-même, il est conseillé de faire quelques respirations profondes en faisant onduler plusieurs fois le creux de l'estomac en une sorte de danse du ventre. Ce massage de plexus accompagnant l'afflux d'air et de prana chasse l'émotion et redonne la sérénité avec le contrôle de soi-même.

Apprendre à bien respirer est une chose capitale qui ne demande qu'un peu de contrôle de soi-même et de persévérance ; mais cet effort, qui n'est réel que dans les débuts, sera couronné d'immenses satisfactions : développer sa capacité pulmonaire, sa résistance physique à la fatigue, s'immuniser contre des quantités de malaises et même de maladies graves, obtenir ou conserver un corps alerte, frais, dispos, prolonger sa vie active, reculer la vieillesse, garder l'esprit lucide, acquérir une perception plus aiguë de la Vérité, ne sont-ce pas là des buts qui valent un peu de peine?

L'assimilation du fluide nécessaire à la vie sous toutes ses formes se fait aussi par l'alimentation; elle dure tant que la bouchée que l'on mange a de la saveur; aussi est-il recommandé de mastiquer longuement, jusqu'à ce que le mets n'ait plus de goût. La perfection, la qualité de l'opération remplace avantageusement la quantité de nourriture absorbée, qui donne souvent lieu à des intoxications et troubles divers.

LA SCIENCE SACRÉE DU RESPIR
À TRAVERS LES ÂGES

Malgré la somme de haut savoir dont le XXe siècle se targue d'être le possesseur, malgré les prestigieuses découvertes qui viennent enrichir ses annales, il est permis de dire que ce que l'homme a de plus proche et de plus précieux en lui demeure ce qu'il connaît le moins.

Avec une remarquable maîtrise il se plaît à prospecter les domaines éloignés, voire les plus inaccessibles qui encadrent son habitat Terrestre. Sans le moindre vertige, il se penche sur le mécanisme de l'univers, et, après avoir examiné l'infiniment grand il étudie l'infiniment petit, l'impondérable, cet autre univers contenu dans tous les êtres et les choses.

Cependant, il reste dans l'ignorance de la source exacte de sa propre vie et de l'agent qui convoie, canalise et entretient cette vie en lui.

Certes, plus que jamais, l'homme s'intéresse au fonctionnement matériel de son organisme, il en a minutieusement décelé et noté tous les besoins, les activités et les réflexes mais il faut avouer qu'il n'a pas de féconde curiosité en ce qui concerne l'élément essentiel, nécessaire à toutes les manifestations de la vie : *LE RESPIR*.

L'homme n'a pas conscience de la valeur du *SOUFFLE*.

L'acte respiratoire est pour lui laissé à l'automatisme, car il ignore l'aspect réel, les secrets arcanes de cette importante fonction qui, apparemment vouée à des réalités physiologiques, n'en confine pas moins aux domaines subtils de la psychologie la plus profonde et de la vraie spiritualité.

Pour la plupart des humains, respirer c'est aspirer de l'oxygène et expirer de l'acide carbonique. C'est opérer un mouvement si simple, si banal qu'il ne suscite aucun intérêt véritable, aucun désir d'utilisation consciente, à moins d'y être amené par la maladie.

Pourtant, chacun sait qu'aucun acte fonctionnel, si insignifiant soit-il, ne peut s'accomplir sans que la respiration n'y prenne part. Et, constatation combien éloquente, la seule chose qui différencie un être vivant d'un cadavre, ne consiste-t-elle pas dans l'absence du Souffle ?

La respiration est la vie même dans les êtres, elle est ce qui retient ensemble toutes les particules du corps. De même que le pouvoir du soleil tient en harmonie toutes les planètes, de même le pouvoir de la Respiration tient tous les organes.

La respiration, en réalité, est la lumière de

tous les sens. Quand elle est absente du corps, le corps avec tout son mécanisme parfait devient inutile. Il en résulte que tous les sens doivent acquérir plus de puissance et de pénétration lorsque la respiration est développée et purifiée.

Certes, l'importance de la respiration commence à être connue et appréciée du monde scientifique, mais il y a encore beaucoup d'inexploré dans ce domaine.

Mon but n'est pas de m'attarder sur ce que l'on sait de la fonction respiratoire mais de démontrer la nature véritable et la valeur du Respir en me référant de la haute considération dans laquelle il fut tenu dans l'antiquité.

De temps immémorial, le Respir a joué un rôle primordial dans l'Évolution de l'Humanité.

Des hommes, parvenus à un état de conscience supérieur, qualifiés du nom de Sages, et qui furent de vrais guides de l'Humanité ont cherché le secret de la vie.

Par l'observation des phénomènes de la nature, ils ont acquis la conviction que la vie est faite d'une perpétuelle continuité d'involutions et d'évolutions, d'inspirations et d'expirations ou encore d'inspirations et de révélations.

Et cette constatation les a amenés à reconnaître ce fait capital, ignoré des foules, c'est que le premier et le plus important facteur de développement *individuel* et par conséquent d'évolution de l'humanité se trouve dans le *Respir Conscient*.

Forts de cette découverte, ils en tirèrent des applications salutaires sous forme d'exercices rythmés, de chants, d'hymnes, de récitations, de psalmodies qui avaient pour objet, non seulement de fortifier la santé physique, mais d'exercer un effet à la fois vivifiant et apaisant sur la mentalité des fidèles.

Ils instaurèrent ainsi une Science sacrée de la Respiration au sein de leurs religions respectives. Et c'est cette science qui constitue de toute évidence, *l'élément commun* que nous retrouvons à la base de toutes les religions, doctrines philosophiques ou mystiques du passé.

Certes, cet élément ne fut pas toujours clairement désigné, il se recouvrit d'appellations symboliques, et, selon le degré de compréhension des individus et des organismes qu'il avait pour but de faire évoluer, ses manifestations s'opéraient soit sous le signe de l'hygiène, de la culture mentale, de l'élévation morale ou spirituelle et aussi bien sous forme de thérapeutique rituelle.

Quoiqu'il en soit, il s'agissait toujours ouvertement ou mystérieusement de l'utilisation consciente, volontairement *conduite*, *suivie* et *observée* d'un élément commun qui n'était autre que le Respir.

Et ce qu'il importe de mentionner, c'est que si cette culture du Souffle fut pratiquée d'une façon plus ou moins raisonnée par certaines communautés antiques, elle le fut de manière pleinement consciente par leurs guides religieux, par les instructeurs et tous les sauveurs d'hommes.

Nous en retrouvons la preuve dans leurs enseignements où sont consignés, dans un langage clair ou allégorique, les commandements et les préceptes ayant trait à cet important facteur de progrès individuel.

Lorsqu'on a compris le rôle joué par le Respir dans les systèmes religieux des Anciens, le sens de leurs théories et de leurs pratiques s'éclaire aussitôt.

Les prétendues formules magiques, les incantations, les mantras perdent leur caractère occulte et bizarre, et la *prière*, la prière elle-même, ce splendide élan de l'âme confié aux ailes de la parole, reçoit enfin sa complète signification et révèle la réelle source de sa puissance.

La conception du pouvoir du *Souffle* et de sa relation avec la *Pensée*, date des temps les plus reculés. Cette relation, profonde, étroite, absolue qui existe entre l'activité respiratoire, l'harmonie fonctionnelle, l'équilibre et le développement mental et spirituel de l'être humain (relation que l'on peut dire de cause à effet dont la notion s'est totalement perdue de nos jours) était parfaitement vivante et précise dans l'esprit des Anciens.

Cette conception était si courante, si naturelle et si évidente que l'on ne jugeait pas de la rappeler explicitement et c'est ce qui donna lieu à certains malentendus postérieurs en raison des diverses appellations symboliques qui restèrent attribuées à l'élément sacré qui nous préoccupe.

La première simplification qui s'impose pour déceler la trace de cet élément à travers les Écritures, c'est d'associer au terme *d'Esprit* qui s'y trouve constamment employé, le terme de *Souffle* ou de *Respir*.

Le sanscrit, le grec et l'hébreu n'ont qu'un seul terme pour exprimer la notion d'Esprit et celle de Souffle, mais on y distingue cependant plusieurs degrés de conscience relatifs à ces conceptions et ils s'expriment au moyen d'un vocable particulier.

C'est ainsi qu'en *grec, pneuma* signifie à la fois *souffle, haleine, respir* et des savants en linguistique ont constaté que notre mot *âme* était dans la langue hébraïque rendu par souffle, haleine, respir.

En effet, tout ce qui vit participe au Respir universel et se trouve être création de ce respir qui *convoie* indubitablement le principe *animateur* vital, le principe spirituel appelé aussi *âme* (anima).

L'origine de la vie ne peut être trouvée dans la matière. Celle-ci ne devient vivante que si elle est *animée*, lorsqu'elle est « *habitée* » par le principe de vie qui, seul, conduit, ordonne, gouverne l'organisation matérielle.

La matière ne devient viable que lorsque le principe de vie — lors de la conception — s'incarnant dans la cellule fécondée, vient animer cette cellule dont il conduira alors tout le développement ultérieur, organique, mental et spirituel. C'est par l'inspiration du Souffle maternel qu'a lieu cette incarnation du principe spirituel.

Précisons d'autre part que l'intelligence individuelle émane de l'Intelligence créatrice universelle et doit se manifester par les paroles et les actes de l'être. Pour s'incarner dans la matière, pour faire corps avec la substance corporelle qu'elle doit modeler, régir, guider, faire évoluer, l'Intelligence, la Pensée créatrice agit sur cette matière par la *volonté* qui devient de ce fait expression de la pensée individuelle.

Un échange constant est nécessaire pour que cette union, cette collaboration puissent s'établir. L'esprit, on le sait, communique avec la matière par l'intermédiaire du cerveau, de la moëlle épinière et des nerfs qui sont les organes récepteurs et conducteurs de la sensibilité.

Mais le *souffle* est le seul agent qui participe à la fois des domaines immatériel et matériel, spirituel et corporel. Il est donc le seul facteur qui puisse assurer liaison, échange et harmonisation entre ces deux domaines.

Le *Souffle* qui fut la cause initiale et le moyen de l'incarnation du principe spirituel dans l'être en voie de constitution, qui fut *source de vie*, reste le moyen de relation du principe individuel avec le principe universel.

L'inspiration qui apporte vie dans l'organisme, seule l'y maintient et l'y renouvelle.

Il en est de même pour la Pensée, car la Pensée, à l'instar de la Vie, ne peut avoir son origine dans la matière, mais elle vient également *l'habiter* et aider à son développement organique mental et supérieur.

Quoique devenue individuelle, la Pensée demeure indissolublement reliée à la Pensée universelle de laquelle elle émane, procède et par laquelle elle subsiste et avec laquelle elle échange sans cesse *par le Souffle*.

La révélation de la nature du moyen qui amène en lui l'incarnation de la Vie et de la Pensée et continue à les faire vivre et agir en lui, procure à l'homme la suprême connaissance, celle qui contient toutes les autres en germe.

Du point de vue direct de la physiologie, comme de celui plus subtil de la psychologie, il n'est rien d'autre qui puisse être opposé, en tant que valeur, à la culture consciente du Respir dès que l'on en a parfaitement discerné la nature.

La nécessité se fait donc sentir de mettre à la portée de tous cette connaissance précieuse, car, redisons-le, là encore, c'est par la conscience qu'il prend de son *Souffle*, de la façon plus ou moins rationnelle et attentive dont il en use que l'homme devient de plus en plus conscient de son origine, du principe spirituel qu'il incarne et qui lui confère le pouvoir de maîtriser et de perfectionner le domaine de la matière en lui et autour de lui.

Ces traces nous les découvrirons dans toutes les civilisations et sur tous les continents sous des formes plus ou moins primitives ou évoluées. Les guides les plus avancés de chaque peuple, nous l'avons dit, se rallièrent à cette base immuable et en tirèrent de salutaires applications.

C'est ainsi que dans les cérémonies rituelles de tous les cultes on retrouve le *chant* et toutes les formes éducatives qui ont le *Souffle* pour essence.

Les ordres monastiques eux-mêmes ont usé de ce pouvoir de développement des facultés humaines, leur emploi si fréquent du *Chant*, et des psaumes le prouve abondamment.

Mais, peu à peu la lettre se substitua à la loi dans l'utilisation de la Science du Respir et cette dernière dégénéra sous l'influence du ritualisme et du formalisme stériles.

Il est cependant encore facile de la discerner dans les conceptions si variées de l'Esprit-Saint de la Colombe, du *Souffle* Sacré du Respir divin, du Respir des Anges, etc... qui constituent la figuration de la Respiration, mais dont toutes les images perdirent, avec les siècles, leur sens initial.

Le symbole chrétien du Saint-Esprit descendant sous forme d'une colombe apportant vie et conscience, n'est autre que le *Respir* apportant *vie* et *pensée* dans la matière organisée.

La Troisième personne de la Trinité est d'ailleurs admise dans toutes les religions trinitaires comme principe divin *organisateur*.

Ceci dit, je clos ce préambule sur la nature du Respir, préambule, qui, je l'espère, aura créé un climat propice à la rétrospective historique de la Science du Respir qui va suivre.

LE RESPIR CHEZ LES ANCIENS

Du fait qu'il est désormais reconnu que c'est à sa source que puisèrent et se fécondèrent les autres civilisations, c'est à la civilisation iranienne que nous demandons d'abord de nous redonner le fil d'Ariane, le fil d'or de la connaissance antique du Respir.

Nous le découvrons dans le plus important de ses textes sacrés, le « Zend-Avesta », cet impressionnant ensemble de documents qui lors de sa divulgation, relativement récente, suscita dans le monde occidental un extraordinaire intérêt.

Sous les figures allégoriques de ses hymnes, l'Avesta contient des prescriptions ayant trait tant à l'hygiène générale, à la thérapeutique qu'à la culture mentale, morale et spirituelle.

C'est un recueil de chants, de formules, d'invocations destinées à être déclamés et qui constitue un manuel de pratiques servant à exercer la Respiration.

Voici, à titre d'exemple, quelques citations :

— « L'air respirable est appelé le premier de tous les êtres. Nous voulons louer le Respir, nous voulons célébrer le Respir qui s'élève ; ce qui est en toi, ô Respir, appartient au Bon Esprit ».

— « Ô Souffle du Respir, c'est toi qui bannis la maladie chez les hommes, chez les animaux et toutes les créatures. Parmi tous, c'est Toi le libérateur le plus puissant de l'entrave et du péché, dans la misère la plus profonde, au moment le plus critique, tu viens en aide à celui qui a recours à toi».

La doctrine zoroastrienne qui fleurit si longtemps en Iran est basée sur le principe fondamental de la Pureté, non seulement physique, mais morale. Le Zend-Avesta représente donc un instrument de travail en vue de l'obtention de cette purification intégrale de l'individu.

Des exercices où, souffle, son, posture et mouvement étaient combinés avec une science approfondie des lois constitutives de l'univers, de la créature et surtout de la loi du rythme, représentaient, sous une forme simple et accessible à tous, un prodigieux moyen de culture de l'être humain dans son ensemble.

Les *chants* et récitations y étaient calculés de manière à amener l'épanouissement physique, mental et spirituel par l'expiration prolongée et rythmée qui purifie et assouplit l'organisme en le libérant de ses poisons et en activant les circulations sanguine et nerveuse.

L'application consciente des lois vitales de la vibration sonore et du mouvement par l'individu sur lui-même, telle était la base que les Anciens avaient mise au programme de la Culture Humaine.

Il apparaît que les Avestains ont, au plus haut degré, réalisé la valeur du *Souffle* en tant que source et clé suprême du développement humain.

La partie du Zend-Avesta qui comprend les Gothas ne constitue pas seulement une suite d'hymnes et d'invocations d'une admirable valeur poétique et d'une haute portée philosophique, mais aussi un véritable système de culture respiratoire qui se révèle par la disposition des strophes, l'alternance des rythmes établis dans ces hymnes, dans le but de provoquer l'expiration prolongée et rythmée.

Le Souffle qui porte les strophes rythmées agit puissamment dans l'individu et par l'individu dont il devient *émanation consciente*, lorsque celui-ci *sait* réciter, il agit sur toute la sphère de cet individu et jusqu'en l'infini dont il est le reflet ou le pôle.

La teneur des textes de récitations était grandement soignée. Destinés à réveiller dans la conscience du pratiquant le «re-souvenir» (comme dira plus tard Platon) de la vérité fondamentale innée en lui, ces textes, sous une forme synthétique et lapidaire ramenaient toujours la pensée sur un thème profond et beau.

D'autre part, la combinaison du mouvement et des postures diverses du corps accompagnant ces exhalations prolongées, dénote une connaissance complète des processus organiques et des moyens qui sont capables de réglementer, de régulariser, d'harmoniser le fonctionnement corporel en agissant sur les principaux centres nerveux et glandulaires.

La prière ou récitation ainsi comprise n'était pas la psalmodie machinale aux vagues et monotones litanies ou aux incantations de mauvais aloi qui ont cours de nos jours et attestent leur

stérilité, leur inefficacité en matière de régénération humaine. Elle était alors le plus merveilleux instrument d'emploi du *Verbe* pour la culture intégrale de l'être.

Zarathoustra qui fut un brillant rénovateur de
la science, déjà millénaire avant lui, du Respir,
insistait vivement sur l'efficience de la récitation
des Gothas.

Voici quelques passages de l'Avesta qui le
prouvent :

« Je veux maintenant parler, à ceux qui veulent entendre, de tout ce dont l'initié doit se souvenir en chantant
les louanges d'Ahoura-Mazda, en récitant les invocations
au Bon Esprit, et de la félicité qui sera la récompense de
celui qui s'en souviendra soigneusement ».

Et Zarathoustra ajoute :

« Je dirai encore ce que le Très Saint m'a communiqué
sur le mantra et sur la façon dont il faut qu'il soit exercé,
récité et transmis par les hommes. Lui, Ahoura-Mazda
dit : Celui qui m'obéit, qui récite et enseigne le Mantra,
celui-là atteindra longue vie et immortalité par les œuvres
du Bon Esprit ».

De plus, il s'avère qu'il a démontré, en personne, la façon de procéder aux exercices de la
récitation puisqu'il est dit dans le passage suivant :

« Célèbre en Aïryana Vaejah, c'est toi, ô Zarathoustra,
qui a récité le premier Ahouna Vaïrya, qui l'as récité
quatre fois en observant les pauses, qui as récité la
deuxième partie à voix haute ».

Avant de m'éloigner de cette civilisation mazdéenne où la connaissance du Respir exerça

une si féconde influence, je veux ajouter que les traces de cette science se retrouvent encore dans certains détails de son architecture, tels que l'emblème zoroastrien du Respir représenté par le Dieu Mazda, ou globe solaire émanant du centre de deux ailes déployées, emblème que devaient reprendre, en le modifiant, les civilisations postérieures de l'Assyrie et de l'Égypte.

Il en est de même pour ses autels du Feu, ces monuments découverts au sein des vallées rocheuses de la Perse, édifiés et consacrés au culte n'admettant aucun symbole, ni idole, ni local de culte autre que ces autels *en plein air* sur lesquels était entretenue la flamme sacrée, symbole du *Respir*.

EN INDE

C'est maintenant dans l'Inde que nous allons suivre la trace de la Science du Respir et, à cet effet, nous examinerons d'abord les *Védas*, ces textes sacrés dont l'origine et le caractère sont purement iraniens et qui furent eux-mêmes la source à laquelle puisèrent toutes les écoles de l'Inde et leurs diverses branches.

Les quatre principaux livres des Védas se composent d'un très grand nombre de mantras, c'est-à-dire d'hymnes, de chants, de prières, de formules et d'invocations. La doctrine du Respir constitue le fil d'or reliant entre eux les écrits issus des Védas, tels que les hymnes cosmogoniques du Rig-Véda, le code d'harmonie du Soma Véda, le recueil de prières et de formules salutaires du Yajour Véda et de l'Atharva Véda.

Voici un extrait du Rig-Véda qui, sous sa forme mythologique présente un thème du Respir :

« En ces jours-là, vie et immortalité n'étaient pas encore distinctes, et les jours n'étaient pas encore séparés des nuits. *L'unique respirait*, sans recevoir le Souffle d'ailleurs, par lui-même ; rien n'existait hors de Lui ».

(Le chant de la Création, l'un des plus solennels du Rig-Véda).

Les Rig-Véda, de même que la Genèse, chante aussi le *Souffle* sur les Eaux, autrement dit l'Esprit qui se meut sur les Eaux :

« Au commencement étaient les Eaux, ondulant sous le Souffle de Pragapati ».

Dans les langues antiques, nous l'avons dit, et ce passage le prouve, les termes Souffle et Esprit étaient synonymes et il en était de même pour eau et matière.

Le symbole de la boisson divine, le Sôma, forme le thème commun à tous les chants du Somavéda. Le culte du Sôma tirait son origine de la doctrine de la Régénération individuelle commune aux peuples aryens de l'Inde et de l'Iran.

Le Sôma, dit, chez les Iraniens, Haoma, était une plante de la famille des asclépiades dont les prêtres buvaient le suc au cours des cérémonies rituelles symboliques et dont on célébrait les mérites dans les hymnes.

Le suc végétal devait posséder des propriétés

spéciales, stimulantes de certaines cellules glandulaires et cérébrales rendant activité ou essor à des facultés divinatoires ou illuminatrices. Son culte était donc intimement lié à celui du Respir et ce fragment d'un hymne exhaltant son pouvoir l'atteste :

« Nos chants s'élèvent pour t'apporter louange, ô Sôma, pour t'offrir sacrifice ils s'élèvent à Toi le *Souffle du Respir* ».

Dans leur art de guérir, très renommé, les prêtres védiques n'employaient comme remède principal que *l'incantation* dont le pouvoir ne devenait d'ailleurs efficace que lorsqu'il était accompagné de récitations sur le Respir. La parole récitée par le malade lui-même était considérée comme le remède suprême, le plus efficace de tous.

Dans les Oupanishads qui sont un ample commentaire des Védas, de leur doctrine, et où se trouve mise en si grande valeur le principe individuel ou Atma, nous retrouvons la notion de l'Individualité résidant dans le Respir *devenu conscient*. Écoutons :

« Et Indra dit : Je suis le Respir de Vie. Adorez-moi comme la conscience du Moi, la Vie, l'Immortalité.

« Le Respir *est* la Vie et la Vie *est* Respir.

« Car, tant que dans ce corps circule le Respir, la Vie y demeure. C'est par la respiration qu'on acquiert dans cette existence la Vie et, par la conscience de Soi, la vraie Connaissance. Celui qui me vénère comme la Vie et l'Immortalité, celui-là acquerra dans cette existence *déjà* la durée entière de la Vie, la Longévité, et recevra l'Immortalité, la Vie éternelle dans le monde divin ».

Et encore dans les Oupanishads :

> « Le Respir, en vérité, est plus encore que la foi, car, de même que les rayons d'une roue sont fixés au moyeu, ainsi toutes choses sont gouvernées par le Respir vivant ».

Le fait d'inspirer et d'exhaler était considéré comme une sorte du sacrifice permanent et même comme la forme suprême du sacrifice qui remplace tous les autres, puisqu'il dit :

> « Le Respir, en vérité, est plus encore que la foi, car, de même que les rayons d'une roue sont fixés au moyeu, ainsi toutes choses sont gouvernées par le Respir vivant ».

Je ne mentionnerai rien des diverses doctrines Yogi, du fait qu'elles ont été portées à la connaissance du monde occidental cultivé.

Chacun sait que leurs méthodes reposent essentiellement sur la pratique de la Respiration.

Les célèbres aphorismes de Patanjali sont des exposés détaillés des exercices respiratoires propices à la conquête du Yoga, c'est-à-dire de l'union avec Dieu.

Dans le livre de Manou, le code rituel des Brahmanes, auquel on accorde une origine extrêmement reculée, il est dit :

> « De même que les adhérents d'un ordre sont régis par leur chef, tous les êtres vivants sont régis par le Respir ».

Et dans la Baghavad-Gita, partie essentielle du Mahabarata, la légende nationale hindoue, nous entendons, au cours d'un dialogue poétique, Khrisna déclarer à son disciple, le sage Ardjuna :

«La véritable maîtrise s'acquiert par le contrôle des battements du cœur, du Respir de Vie et de tous les sens.

«Je me manifeste dans la chaleur vitale, de toute créature qui respire.

Double est mon Respir, interne et externe, spirituel et physique. Ainsi je soutiens toutes choses.

«... Puis, ceux qui cherchent à unir le Respir intérieur et spirituel au souffle corporel et extérieur, pour augmenter leur force de pensée en respirant l'Esprit, et pour ensuite l'expirer avec amour, éviteront soigneusement toute pensée qui ne soit pas propice au salut de leur âme».

En ce qui concerne le Bouddhisme, c'est dans une des allocutions du Bouddha que nous puiserons un passage qui démontre qu'il enseigna la manière de pratiquer le Respir Conscient, voici :

«Comment s'y prend un disciple pour cultiver son propre organisme ? Il se rend en pleine forêt ou sous un grand arbre, ou dans une demeure inoccupée, il s'installe les jambes croisées, le corps droit, et s'entraîne alors à la Concentration.

«Il aspire attentivement, puis il expire avec autant d'attention. En respirant il se rend compte : — J'aspire profondément. En expirant il sait : — J'expire profondément. — Éveillant les pensées, les harmonisant, les dégageant, ainsi je veux aspirer et expirer.

«Lorsque de cette façon on exerce et on cultive l'aspiration et l'expiration, le dernier souffle qui nous quitte sera conscient et non conscient».

En Égypte, c'est aux splendides statues hiératiques qui nous ont été conservées de sa prestigieuse civilisation, que l'on peut demander un témoignage éloquent de la connaissance du

Respir sacré que possédaient ses prêtres et ses rois.

Ces statues que vous connaissez tous, en position assise ou debout, ne sont autre chose que la représentation de dieux, de prêtres, de pharaons accomplissant un acte de respiration conscient, dans un parfait état de concentration.

Toutes leurs attitudes ou postures sont analogues à celles que l'on enseigne et que l'on pratique encore aujourd'hui en Orient et en Occident dans certains exercices respiratoires.

Ces statues offrent, en général, une expression calme et sereine des yeux et de la face, une attitude de relaxation totale et aisée, ainsi qu'un léger sourire que l'on pourrait qualifier d'intérieur.

Ces statues «respiratoires» ne proviennent pas uniquement de la période d'apogée de la civilisation égyptienne, mais d'époque bien plus reculée, (3.300 à 2.800) ce qui indique encore l'origine immémoriale de la Science du Respir.

Pour quiconque connaît le principe des postures respiratoires, ces statues sont extrêmement instructives et significatives. Certaines, vous le savez, tiennent dans leur main une clé en forme de T, surmontée d'un anneau. C'est la croix ansée dont l'hiéroglyphe se traduit communément par «vie».

Ce symbole se retrouve sur de nombreux bas-reliefs égyptiens, assyriens, phéniciens et fait partie intégrante de la signature officielle des Pharaons, du nom d'Osiris, etc...

Les symboles du globe solaire, d'Isis, du Scarabée ou du Faucon incrustés entre les ailes du Respir et reproduits si abondamment dans les ornements égyptiens attestent l'étendue du Culte voué à la Science du Souffle.

En dehors de ces témoignages plastiques, il existe un texte fort intéressant, *le livre des Respirations*, qui constitue un chapitre d'un traité religieux et liturgique connu sous le nom de « *Livre des morts* ».

La coutume exigeait qu'un exemplaire de ce livre fut joint à toute momie au moment de sa mise au tombeau.

Voici quelques lignes extraites de ce « *Livre des Respirations* » et ayant trait à la coutume précitée :

> « Le Livre des Respirations lui est donné, il l'accompagne.
> Il est écrit sur les deux faces de la toile,
> Il repose sous son bras gauche,
> Tout près du cœur.
> Ce livre ayant été écrit par lui,
> Il respirera avec les âmes des dieux
> En toute éternité ! »

LES AUTRES CIVILISATIONS

Si nous examinons maintenant les vestiges architecturaux de la Chaldée et de l'Assyrie ou de la Babylonie, c'est la même constatation flagrante qui s'impose en faveur de la connaissance et de l'application par ces peuples de la Science du Respir.

Chacun sait que le célèbre art médical des

anciens Mages de Chaldée était surtout basé sur les formules magiques et que le facteur principal des cérémonies rituelles du culte consistait dans la récitation continue d'incantations rythmées avec observance de certaines prescriptions que l'on a trouvées relatées dans les textes cunéiformes.

Si nous ne voulons pas oublier la Palestine qui demeure pour les occidentaux la terre de la Révélation des Révélations, nous demanderons quelques attestations à l'Ancien Testament, en particulier à la Genèse, à condition toutefois que l'on veuille bien admettre, et j'ai dit pourquoi au début de ce chapitre, que le terme *Esprit* soit associé à celui de Respir.

La notion antique du principe vital basé sur le Respir ne peut, en effet, redevenir plausible pour nos contemporains qu'en reprenant la lecture et l'étude des Saintes Écritures de ce point de vue.

Le fondement de la Genèse est le suivant : la création qui s'y trouve décrite est *un processus ayant lieu à chaque instant dans l'individu.*

L'Esprit et les Eaux sur lesquelles *il se meut* ou plutôt *qu'il met en mouvement,* se retrouvent dans l'individu : *le Respir (Esprit) d'une part et, d'autre part, les Eaux de la Régénération, les Eaux vives de l'Amour, Eau de Jouvence, Courant d'Eau Vive, etc... selon les nombreuses épithètes employées en Orient pour désigner les fluides de vie circulant dans l'organisme.*

D'après Moïse, Dieu Souffla dans les narines de l'homme le Respir (Esprit) de Vie, et en fit une âme vivante.

Et nous trouvons dans les Psaumes :

«En cas de maladie ou de faiblesse, le Respir diminue. Lorsque le Respir s'arrête, la mort survient. Que ce soit au moment de la naissance ou lors d'un moment décisif dans l'existence, c'est le rythme du Respir individuel qui est la source de tous les dons ou facultés. »

La langue de l'Ancien Testament les considère tous comme issus de la même source : en hébreu : le Nefash ou Rouah, le *Respir*.

Si dans le Coran, ce livre vénéré de l'Islam, on ne découvre pas de texte explicite faisant mention de la Connaissance du Respir, il faut dire qu'elle fait partie de la doctrine islamique reposant sur la tradition *orale*.

Mais nous savons, en toute certitude, que la Science du Souffle fut connue et appliquée de façon extrêmement féconde dans les Écoles de Soufis, ces purs mystiques de l'Islam, qui tenaient leurs traditions religieuses de la doctrine de Zoroastre.

Le haut emploi, l'attachement que les Soufis de la Perse, devenue musulmane, portaient *au Chant* et à *la Poésie*, révèlent leur affiliation à la Connaissance Sacrée du Respir qui eut sur l'Iran une si profonde influence.

Et puisque nous révisons, en quelque sorte, les principales Écritures des diverses religions, mentionnons que dans la religion hébraïque le texte même du *Talmud* est destiné à être lu et récité *à haute voix* en articulant distinctement les mots.

Dans la Cabbale, il est clairement exposé

comment le Saint-Esprit ou l'Esprit de Dieu vivant, crée au moyen de la *Voix* et du *Verbe*.

Au livre de Zohar nous lisons :

« Rien ne se perd dans ce monde. Pas même le Souffle qui s'échappe de la bouche. Il a comme toute chose sa destination et son but, et le Saint, dont le nom soit béni, l'emploie à ses œuvres. — Rien ne se perd dans le vide, pas même la Parole et la *Voix* de l'homme. Tout a son but et sa destination ».

Ces paroles sont celles que prononce un vieillard étranger devant plusieurs disciples de Ben-Jochaï. Et ces derniers ont dû reconnaître en elles l'un des articles de foi les plus secrets, puisqu'ils interrompirent aussitôt le vieillard en s'écriant :

« Ô vieillard, qu'as-tu fait ? Ô puisses-tu avoir gardé le silence ! »

Et, toujours mus par la même recherche, tournons nos regards vers la Grèce où deux de ses plus fabuleux héros nous tendent le fil d'or de la *Science du Respir régénérateur*.

Orphée, le merveilleux chanteur qui sortit vainqueur des plus grandes épreuves et réalisa les plus grands et les plus subtils travaux :

Dyonisos, le dieu déchu, puis régénéré et réinstauré dans ses droits.

Les légendes brodées autour de ces deux personnages ont leur source dans la connaissance des lois de la Vie que possédaient à fond les Anciens.

Quoique enveloppée de formes allégoriques, de voiles poétiques, la littérature orphique recèle une foule d'enseignements initiatiques où transparaissent nettement ceux ayant rapport à la Science du Respir. Et la tradition orphique ayant servi de fondement initial au Culte des Mystères, ceux-ci furent nécessairement les héritiers de ce Savoir sacré, et de nombreux textes pourraient nous le prouver.

Mais pour en éviter les longueurs, je me contenterai, à titre documentaire, de citer les hommes illustres, les Sages et les institutions qui cultivèrent en Grèce et sous sa géniale influence philosophique, la connaissance de *l'Art du Respir*.

— *Pour Démocrite*, l'air, le hiéron-pneuma, le Souffle, était le véhicule de la Pensée dont l'aspiration donnait la Vie et l'Esprit.

— *Anaxagore* distinguait entre «air» et «éther».

— *Archelaos* parlait de l'air animé par l'Esprit.

— *Anoximène* considérait l'éther, pneuma, comme principe fondamental de la création et le différenciait, lui aussi, de *l'air atmosphérique*.

— *Diogène d'Appolonie*, se référant à Homère, allait plus loin : «La *Vie* et la *Pensée* disait-il, de tous les êtres vivants sont déterminés par l'air qu'ils aspirent. *Conscience* et *entendement* sont déterminés par l'air aspiré».

— *Héraclite* admettait que l'âme *se renouvelait* sans cesse et récupérait ses forces et pouvoirs par l'apport d'énergie vitale fournie par la respiration.

— *De Pythagore*, nous savons combien, la pratique systématique du *Chant* jouait un rôle important dans le développement intégral qu'il imposait à ses élèves en vue de leur perfectionnement.

Les Pythagoriciens parlaient d'un pneuma universel, illimité, dans lequel toute créature puise la vie par son souffle. Ils professaient cette conception, d'origine orphique, que l'âme pénètre dans le corps avec le premier souffle et le quitte avec le dernier.

— *Platon*, de son côté, prôna ouvertement la nécessité de la culture respiratoire et du point de vue physiologique, s'appuya sur des constatations qui ne pourraient désavouer le plus moderne savant.

— *Aristote*, dans son traité « de la fonction respiratoire », étudie en détail cette activité primordiale et l'intérêt qu'il lui porte atteste la valeur qu'il lui attribuait.

Il en fut de même pour les illustres médecins grecs, pour Hippocrate dans son traité « Des Souffles » et pour Galien.

Les Stoïciens eux-mêmes désignaient par Souffle, esprit, pneuma, l'élément universel qui pénètre toutes choses, et l'universalité du pneuma était à la base de la conception qu'ils se faisaient de l'Unité de l'Univers.

Il va sans dire, avant de quitter la Grèce, que les diverses Écoles d'Alexandrie, issues de son génie philosophique, en particulier le Néo-Platonisme dont *Plotin* fut l'éminent représentant, possédaient et professaient la Science du Respir.

Et maintenant, bouclant notre périple à travers l'Antiquité, nous parvenons au Christianisme et aux temps de la Gnose où le Respir était encore reconnu à sa juste valeur.

La Gnose et Christianisme étant respectivement fondés sur les principes de connaissance et de renaissance, ne pouvaient ignorer et encore moins mépriser le pouvoir de l'élément sacré et régénérateur qu'est le Respir.

Les Anciens prétendaient, à juste titre, qu'il n'est pas de connaissance véritable pour l'individu tant que ce dernier n'a pas acquis un certain développement moral et une certaine pureté physique équivalant à une sorte de renaissance.

Renaître et connaître ont d'ailleurs, même en langue grecque, une étymologie identique.

L'enseignement relatif à l'emploi Conscient de la Respiration était donc en vigueur, sous des formes plus ou moins voilées, dans les communautés gnostiques et chrétiennes de l'Asie Mineure, de l'Égypte et même de l'Italie méridionale et nous en connaissons les images symboliques.

Le bâton d'Hermès ou d'Esculape, le Caducée, le Serpent ornant les gemmes gnostiques, se reportent à l'enseignement des lois vitales et à leur contrôle ; de même que la croix ansée, le Tau, qui symbolise le point suprême de développement et d'harmonie parfaite, et qui est la forme primitive de la Croix.

Les Gnostiques employaient beaucoup le

Chant rythmé des voyelles diversement groupées.

Les Chrétiens, comme les Gnostiques, enseignaient et pratiquaient la Science dite de la Pneumatologie, basée sur la connaissance absolue du pouvoir de salut, de génération intégrale que représente le Souffle lorsqu'il devient chez l'homme un acte conscient.

C'est ainsi que devenaient « Pneumatikoï », c'est-à-dire guides spirituels, et non professionnels attitrés, ceux par qui la dite Culture du Souffle parvenait à un état de pureté et de conscience supérieure.

Jésus, à l'instar de tous les grands instructeurs spirituels qui l'avaient précédé, enseigna l'Art de la Respiration et avait donné toutes formes et précisions utiles pour que ses disciples puissent appliquer cet art à leur propre développement.

Il est même certain qu'il dut se livrer à des démonstrations de cette Science, et ceci en conformité de la phrase suivante rappelée dans les Écritures : « Priez ainsi, priez sans arrêt ».

Il est clair que Jésus ne préconisait pas à ses élèves l'emploi de litanies interminables et machinales, mais qu'il les incitait, lorsqu'ils priaient, à le faire sur un souffle aussi longuement expiré que possible, sans reprendre haleine.

Il est raisonnable de supposer qu'il respira et récita devant eux puisqu'il est dit dans Jean (chap. 22) « Vous aussi, aspirez en vous, de *même manière*, ce souffle de vie qui guérit et qui sauve, ce pouvoir vivifiant, réconfortant et développateur qui existe *aussi* en vous-mêmes.

Jésus dévoilait et indiquait ainsi à ses disciples la force spirituelle et animatrice à laquelle l'homme doit l'existence et à laquelle, par son *souffle* sans cesse il peut se relier.

Cette science plus que millénaire, enseignée par Jésus lui-même, fut donc à la base du Christianisme primitif. Mais, à la conception vivante de l'emploi rationnel du souffle, devait succéder la fiction d'un Saint-Esprit emblématique, symbolisé par une «colombe» comme nous l'avons vu précédemment.

Volontairement, ou par simple ignorance, on en vint à obscurcir et à embrouiller à tel point la notion du Souffle vital cependant si lumineuse en principe, qu'elle fut dénaturée, dégradée jusqu'à perdre finalement toute valeur et portée pratiques.

C'est alors que pour les hommes se tarit la possibilité de *savoir*, de *connaître* et d'expérimenter par eux-mêmes l'un des plus grands pouvoirs que la Vie leur confère. Ils ne furent plus désormais que voués à *croire* sous le signe de la lettre morte.

Mais, lorsqu'une notion est vraie elle ne peut disparaître, la vérité ne se perd jamais.

En l'occurrence, la preuve en est donnée par la révélation moderne qui est faite de la Science du Respir par le canal d'un mouvement dénommé Mazdaznan dont l'Enseignement répand d'une manière conforme à l'esprit de notre temps, les lumineux principes de la philosophie de Zoroastre, la philosophie Mazdéenne que l'on est en droit de considérer comme la source commune des religions de toutes les nations civilisées.

Ce qu'il faut toutefois préciser c'est que ce mouvement ne se donne pas pour but la résurrection formaliste de cette philosophie, ce qu'il apporte au monde c'est la moëlle de cette philosophie, c'est-à-dire un ensemble de connaissances scientifiques concernant l'évolution de l'être humain qui existèrent dès l'origine de la race blanche, par conséquent bien avant que ne fussent constituées les religions et églises que nous possédons aujourd'hui.

Le nom de Mazdaznan est un mot composé du Zend, langue de la Perse antique et signifie très exactement *Pensée-maîtresse*, autrement dit l'Esprit maître de la matière.

Le mouvement qui a pris ce nom ne tend donc pas à être ni une religion, ni une secte, ni même une école, c'est un enseignement de caractère universaliste solidement ancré sur la Science de Respiration et offrant des connaissances applicables à la constitution de notre organisme physique, mental, psychique et spirituel et où chacun est libre de choisir ce qui convient à son niveau individuel d'entendement et de développement.

On commence à s'apercevoir que pour que la vie humaine puisse se dérouler harmonieusement, que les facultés et talents de l'homme soient utilisés de manière vraiment bénéfique en vue de son progrès réel et de celui de l'Humanité, il est indispensable de prendre résolument d'autres voies d'investigation que celles qui sont couramment employées.

L'objectif doit être l'individu lui-même et sa régénération totale. Il faut remettre l'homme en présence de son but, du but éternel de sa vie.

Or, c'est surtout par la respiration consciente qu'il s'élève progressivement à un degré de conscience supérieur qui lui permet d'entrevoir son véritable but sur terre et de reconnaître l'Unité de son origine au-dessus des divisions du monde phénoménal.

Répétons encore que le Respir est synonyme de ce qu'on appelle habituellement l'esprit, le pneuma-spiritus de l'Évangile.

Plus on réalise la puissance du Respir, plus l'on comprend son importance comme facteur déterminant dans notre existence suivant l'aptitude que l'on possède à en déterminer sciemment les vibrations, car le Respir est le lien qui unit le fini à l'infini, l'individu à l'univers, la nature à Dieu.

La plénitude organique qui se traduit pour l'homme en santé, équilibre, activité féconde et bonheur, relève en tout premier lieu de l'harmonie fonctionnelle et tous les savants et philosophes modernes qui ne tiennent pas compte de ce point sont voués à échouer invariablement dans leurs recherches ou travaux pour l'obtention du bonheur humain.

Il faut à la Pensée créatrice un canal, un instrument capable non seulement de la laisser passer et de s'imprégner d'elle, mais encore de la servir, de la matérialiser en des actes conformes.

La Pensée n'a pas à être perfectionnée, elle est pure et parfaite d'essence, il n'y a donc logiquement qu'à préparer, à rénover la constitution matérielle, le véhicule qu'elle habite pour qu'elle puisse se manifester justement, selon sa nature et ses buts supérieurs.

Une seule force a le pouvoir de rétablir l'harmonie dans l'homme, de le rendre maître de soi, de l'univers qu'il représente sous ses trois formes : physique, mentale et spirituelle, cette force c'est la Respiration.

C'est par l'inspiration, non plus machinalement exécutée, mais avec conscience de sa valeur et de son but, que chaque être se rend libre et fort et peut utiliser justement les merveilleuses et innombrables capacités qu'il détient, qui sont sa *possession* virtuelle, innée, impérissable, indestructible, mais qui ne devient susceptible d'épanouissement et de rendement que sous la baguette magique du Respir, baguette actionnée par une individuelle décision.

La pratique de la culture respiratoire consciente comprend des exercices rythmés très simples et gradués que chacun peut faire et dont l'effet sur l'organisme dépend surtout de l'attention et de la persévérance de celui qui s'y adonne.

À ces exercices respiratoires ponctués de mouvements salutaires, s'ajoutent le Chant et la Récitation, autres aspects de la culture du Souffle qui constitue un exercice mental important et hautement recommandable.

La Science du Respir propose donc un ensemble de règles accessibles à tous et dont l'observation permet de vivre une vie intéressante, utile et heureuse.

La connaissance de la nature spirituelle du Respir représente le summum de pénétration de l'esprit humain dans le mystère de la vie, de la Création et du Créateur lui-même.

Les temps approchent où, selon la parole évangélique, il faudra adorer Dieu en *esprit* et en vérité. Nous savons désormais ce que cela veut dire et pourquoi se trouve révélée au monde moderne la Science Sacrée du Respir, cette science immémoriale qui constitue la suprême fleur initiatique qu'ont cultivée avec tant de sagesse et de fruits les plus grands penseurs de l'antiquité [1].

---

[1] Lire également l'ouvrage : « L'Heure des Révélations » de Jeanne LAVAL. À paraître aux Éditions de Montagne.

L'EXISTENCE INTÉGRÉE

Le premier pas vers la vie totale consiste à chercher à connaître notre contexte, à savoir ce qui nous entoure. Nous avons tous, plus ou moins, une conception de la vie égocentrique. Nous voyons la vie, nous la raisonnons, par rapport à nous, par rapport à notre naissance, par rapport à notre sexe, par rapport à notre famille, à notre pays, à notre situation, par rapport à ce qu'on nous a fait croire être notre personne. Là, un jeu de mots est permis : nous sommes une personne et nous ne sommes personne. Cette personne-là, chacun de nous la place dans son cadre, séparée de ce que j'appelle le contexte. Je dis bien : comme dans une page de lecture, un mot pris isolément est cependant entouré de tout le reste du texte, le contexte, de même chacun de nous est une sorte de mot entouré, et cet entourage est la vie totale. La vie, pour être pleinement vécue, doit être dégocentrée (si vous me permettez ce néologisme).

La vie, nous l'égocentrons, c'est-à-dire que nous

la ramenons à nous, à notre vie. Exception faite des êtres très idéalistes, très mystiques ou très altruistes qui essaient de sortir d'eux-mêmes de plus en plus. Précisément, nous aurons à connaître le processus par lequel ces êtres peuvent sortir de leur moi, sortir de leur ego. En quelque sorte, nous pourrons apprendre comment on devient bon, comment on finit par aimer l'humanité, comment on finit par aimer la vie quelle qu'elle soit, comment on finit par vouloir travailler pour la cause humaine. Mais, avant tout, il faut que nous sachions qui nous sommes, d'où nous venons, à quoi nous sommes rattachés. J'expliquerai, dans les prochains chapitres que le grand malheur des êtres, à l'heure actuelle, c'est d'être séparés. Ils sont séparés du TOUT, ils sont séparés du UN, ils sont séparés de leur contexte, ils sont séparés de la vraie vie. Ils sont séparés de l'essentiel. Ils ne sont pas heureux.

Cependant, ils vivent à une époque bénie, bénie en ce sens qu'ils peuvent, en partie grâce à la science, connaître véritablement le milieu dans lequel ils se trouvent. Jamais, à aucune autre époque, les êtres n'ont eu à leur disposition autant de lumières, pour savoir vraiment pourquoi ils vivent, ce qu'est la vie et à quoi ils sont rattachés. En effet, si nous imaginions vivre, non plus en 1979, mais à l'époque où apparaissent les hommes pour la première fois sur terre, c'est-à-dire il y a 2 millions d'années environ, nous constaterions que nous sommes environnés de forces et que, ces forces, nous ne les connaissons pas, nous ne savons pas ce qu'elles nous veulent et à quelles lois elles obéissent. Tandis que, maintenant, nous savons et nous savons pour ainsi dire l'essentiel.

Je voudrais, puisque nous avons fait une incursion dans le passé, vous demander de faire un autre voyage imaginaire, mais dans le présent, et toujours de plus en plus loin. Nous sommes ici à MONTRÉAL, dans un pays qu'on appelle le Canada. Le Canada, fait partie de l'Amérique. L'Amérique fait partie d'un continent, et ce continent fait partie de la Terre, notre planète. Parcourons en pensée toute la surface de la Terre, et voilà notre premier domaine : nous sommes membres de la Terre. Or, quand nous avons réalisé que nous sommes l'humanité tout entière, la Terre tout entière, nous ne sommes qu'au début de notre voyage. Car, la Terre, elle-même appartient d'abord à un système de planètes, à une famille que l'on appelle le système solaire et dont le père est le soleil. Nous ne devrions jamais oublier cela : nous sommes des êtres de l'espace. Et aussi réalistes que nous voudrions être, nous devons nous pénétrer de cette réalité.

Être réaliste, c'est voir toute la réalité. La réalité, certes, c'est que nous avons tel âge, telle situation et telle famille, telle patrie, mais, encore, nous appartenons à l'espace, et telle est la VRAIE réalité. Il est absolument indispensable de connaître la vie, et de nous connaître nous-mêmes. Nous sommes donc des êtres de l'espace. Si nous nous considérons simplement comme membres de la Terre, nous nous attribuons déjà une importance quelque peu relative par rapport aux trois milliards d'humains qui sont sur cette planète, et cette importance diminue au fur et à mesure que nous allons plus loin. Si, au lieu de considérer simplement la Terre, nous considérons toutes les planètes qui entourent le soleil, nous voyons l'importance de la Terre réduite dans une assez large mesure. Et cette famille, le soleil avec ses planètes, y compris la Terre, cette famille n'est rien par rapport à l'ensemble des familles solaires d'une seule cellule de l'espace : une galaxie. En outre, dans le panorama si vaste d'une galaxie, une planète n'existe plus en tant que telle : chacune fait un avec son soleil. Il faut se répéter que la galaxie dans laquelle se trouve la Terre, une des plus petites galaxies de l'Univers, comporte pourtant deux cents milliards de soleils, soit au moins deux mille milliards de planètes : et que l'on ne pourra jamais compter le nombre de galaxies, car l'espace est infini. Les savants sont à peu près tous d'accord sur ces données de fait, alors qu'il fut des époques où elles étaient discutées ou ignorées. À présent, ces affirmations reposent sur un sol solide, celui de l'expérimentation scientifique. De même, nous, nous ferons un travail scientifique en essayant de pénétrer dans la vie et de connaître la vie, toute la vie, non pas à travers nous, mais à travers l'espace et les lois qui gouvernent l'espace. Avant de parler de ces lois, je voudrais vous prier de vous représenter encore cette petite planète Terre, perdue dans sa famille, le système solaire, et encore plus perdue, par exemple, parmi les 200 milliards de systèmes solaires composant notre galaxie ; et l'homme est là, il est dans cet amas innombrable et infini de galaxies, il est au cœur de l'espace, sur cette boule, la Terre, absolument dérisoire par rapport seulement à une galaxie, et donc encore plus par rapport à l'infini. Il faut que ces choses soient nettement claires dans notre esprit.

L'infini !... Imaginez, représentez-vous bien, ce que l'on doit entendre par infini : aucune limite, aucune frontière, cela ne finit jamais. Une fusée nous emporterait ce soir, d'ici ou des antipodes, à la vitesse de la lumière, tout droit dans l'espace, elle pourrait ne s'arrêter jamais et sans cesse passer en revue des mondes et des mondes.

Mais, revenons de ce voyage, atterrissons, considérons notre planète seule : nous la retrouvons immense, après cette incursion dans l'infini, et c'est alors, quand elle nous apparaît de nouveau comme immense, que nous nous demandons comment elle peut tenir dans l'espace. Ce monde, le nôtre, qui contient trois milliards d'hommes, toutes les autres planètes, tous les soleils, toutes ces sphères, planètes ou soleils, tiennent merveilleusement dans l'espace. Grâce à quoi ? Grâce à des forces. Il y a des forces, il y a des lois qui gouvernent ces forces, il y a des forces qui soutiennent les mondes. Nous sommes en quelque sorte à l'intersection de ces forces, et nous ne devrions jamais l'oublier. Nous pourrons même, par la suite, arriver à savoir que nous sommes nous-mêmes des sous-forces, et que plus nous nous persuadons que nous ne sommes pas seulement des êtres humains qui pensent et qui voient, mais que nous appartenons à des forces, et plus s'opère l'expansion de la condition humaine. Donc, cette immense planète — enfin, immense par rapport à nous — tient merveilleusement dans l'espace, grâce à des forces, et il en est de même de tous les mondes, qu'ils soient planètes ou étoiles. La science nous permet de savoir, maintenant, que — comme les simples êtres humains que nous sommes — une planète, un soleil, cela meurt, cela naît. Exactement comme les personnes, des planètes et des soleils naissent et meurent dans l'infini de l'Univers, continuellement. Chaque jour, il y a des étoiles qui meurent, il y a des étoiles qui naissent, des systèmes solaires entiers qui naissent, et peut-être des systèmes entiers qui disparaissent, constamment, dans l'espace infini.

Il est absolument indispensable de savoir ces choses. Et surtout, parce que le mal principal des êtres, c'est la séparativité. Quand un être ne sait pas à quoi il appartient, il est forcément, automatiquement, malheureux. Il est séparé de l'infini, il est séparé de l'espace, il est séparé de toutes ces forces qui l'ont fait, lui, être humain, naître, de même que ces forces le feront disparaître. Or, comment les mondes peuvent-ils tenir merveilleusement en équilibre, comment l'infini peut-il être parfaitement organisé, et comment cet infini peut-il vivre harmonieusement, malgré les morts continuelles qui se produisent dans son corps ? Cet équilibre est donc lui-même fonction et sujet d'un gouvernement. Il y a manifestement un gouvernement, pour qu'il y ait équilibre ; il y a un gouvernement de l'espace, un gouvernement de ces forces, gouvernement organisé, qui dispose de ces forces selon un plan, une volonté, une

PENSÉE. Cette pensée, ce gouvernement de la vie, c'est ce que toutes les religions s'accordent à nommer Dieu. C'est Dieu, le gouvernement de la vie.

Je dirais même qu'un athée, un homme qui prétend ne pas croire en Dieu, est d'accord aussi avec cette conclusion, sauf sur le nom à donner à ce gouvernement. Même le plus mécréant des savants est obligé de reconnaître qu'il existe une organisation merveilleuse de l'infini, un ORDRE, une organisation et une intelligence. Il y a donc une intelligence directrice, il y a donc une intelligence organisatrice. De plus, si nous revenons à l'espace, en le considérant comme une entité, comme l'expansion la plus grande de toutes les unités, c'est-à-dire : planètes appartenant à un soleil, soleils appartenant à une galaxie, galaxies appartenant à un groupe infini de galaxies, nous voyons bien que cet espace, composé d'un nombre incalculable de mondes, n'est qu'UN; que cet UN se décompose à l'infini et se réduit à l'infini. Aussi bien nous pouvons, partant de nous, nous faire une représentation de l'infini, aussi bien nous pouvons, partant de l'infini, revenant à nous, retrouver encore l'unité.

L'être humain, si divers, si partagé, est une unité. Et même cette unité peut encore se partager en cellules, lesquelles cellules se subdivisent en atomes. La science nous a permis de découvrir que tout est composé d'atomes, et que chaque atome, avec son noyau et ses électrons, est un peu comparable à un système solaire. Du reste, la plupart des savants sont convaincus que chaque partie de ce petit «système solaire» est encore composée de systèmes plus infimes. Ceci pour montrer dans quelle diversité effarante nous nous trouvons, et de quelles diversités effarantes nous sommes composés, nous-mêmes. À tel point que chaque être est le centre et le point de départ de deux infinis : l'infiniment grand et l'infiniment petit. Aussi partagés que nous puissions nous sentir, nous faisons partie de la seule unité qui soit. Qu'est cette unité? Nous pourrions dire que l'unité, c'est l'espace, duquel nous faisons partie, mais c'est l'unité matérielle. Or, nous avons vu que l'espace, régi par des forces, forces tenues en mains par un gouvernement, un ordonnateur, cet espace, dis-je, est parcouru continuellement par un esprit, une intelligence. La sève de ce grand corps infini est l'Esprit fondamental.

Nous faisons partie aussi de cet Esprit. Et si vous voulez bien en revenir à vous-même, vous remarquerez que l'espace matériel peut être comparé à notre corps, et l'esprit de cet espace à notre esprit, à notre intelligence. Or, un corps, plus un esprit, cela donne un être. Eh bien, l'unité véritable de la vie, l'unité véritable de l'espace, c'est un être. Vous pouvez réfléchir longtemps et parvenir par d'autres chemins à la même conclusion : il n'y a qu'un seul Être, et nous en faisons partie. Il n'existe au monde, dans l'espace, qu'un Être infini. Et nous en sommes tous des espèces de sous-atomes de sous-atomes de sous-atomes. Lui seul est vrai, lui seul est vivant. Il faut l'accepter : notre existence — quand bien même serait-elle de cent ans — est tellement dérisoire, ridicule, par rapport à l'infini éternel, que nous ne devrions jamais oublier qu'en vérité nous ne sommes rien. Rien, mais avec la possibilité d'être la conscience du Tout-Un, rien sauf que nous sommes dans QUELQU'UN, dans « quelque chose » dont nous faisons partie, et notre vie n'est rien, en somme, qu'un membre de la vie, un élément de la vie.

Malgré toutes les morts qui se déroulent dans l'espace, toutes les morts qui se produisent dans l'humanité, il n'y a que de la vie, il y a toujours eu la vie, il y aura toujours la vie. Ainsi donc, nous sommes membres d'un Être immense, infini, qui ne sera jamais visible en son essence et en son unité. En vérité, ce que nous appelons la mort enrichit la vie, la renouvelle, comme les feuilles mortes enrichissent la terre dans laquelle elles tombent et à laquelle elles finissent par s'unir. La vie, la mort : une main dans ce sens, une main dans l'autre sens, on passe d'un côté à l'autre de la vie, mais l'on ne cesse jamais d'appartenir à la Vie. Une planète meurt, une autre naît. Quelle importance ? Nos cellules se subdivisent sans cesse ; elles « meurent » pour se renouveler, se perpétuer. Rien, en vérité, ne meurt.

Voulons-nous être à la disposition de cette force, de cet esprit, de cette vie qui embrassent l'infini ? Toute la question est là. Il s'agit d'abord de prendre conscience. Et prendre conscience du TOUT, c'est commencer à être vivant. Tant qu'on n'a pas pris conscience du TOUT, du contexte dans lequel nous sommes, tant que nous ne savons pas à quel corps, à quel esprit, à quelle vie nous appartenons, nous ne sommes pas véritablement vivants. Certains êtres cherchent désespérément «le bonheur» sans se rendre compte que leur conception du bonheur n'est pas solide. Ce que nous appelons bonheur, c'est de nous sentir gais, enthousiastes, exaltés, dans la mesure où nous avons trouvé une expansion, et, à ces moments où nous ne sommes plus nous-mêmes, nous nous dépassons, nous nous oublions. C'est cela que nous appelons «le bonheur». Mais, en réalité, c'est le passage de la vraie vie en nous qui crée ce que nous appelons le bonheur. Comme, par exemple, quand vous établissez un contact électrique et que le courant passe. Une lampe est faite pour éclairer, mais elle peut être éteinte. La plupart des êtres humains ressemblent à des lampes dans lesquelles le courant n'est pas encore passé ou à des lampes qui s'éclairent rarement. Quand le courant passe, ne serait-ce qu'un faible instant, nous disons : «je suis heureux». Mais ce que la plupart des êtres cherchent, c'est la perpétuation de cet état extraordinaire d'euphorie, être heureux tout le temps. C'est-à-dire : être heureux dans leur moi séparé, être heureux en restant séparés du reste de la vie, ce qui est impossible. Ils voudraient que le «courant» passe continuellement, mais sans faire le nécessaire pour cela.

Certes, des êtres connaissent la Joie, et tous les êtres connaissent la vie. Et, pourtant, il y a beaucoup plus de morts ambulants que de vivants véritables. Il faut apprendre à devenir des vivants véritables : cela ne peut être que par le sentiment de son appartenance totale à un Tout, qui est en vérité UN, aussi bien physiquement que spirituellement, ce corps infini, cet Esprit souverainement intelligent auquel nous appartenons. Tant que nous n'avons pas pris conscience de cela, nous ne sommes pas vivants. Et nous ne sommes pas joyeux, et le courant ne passe pas, le courant en quelque sorte de la vérité vivante. Essayer d'être la conscience de la vie ; se laisser posséder par la vérité, c'est commencer à être un homme, une femme, réalisés.

Nous avons fait un voyage dans l'espace, nous avons fait un voyage dans le temps présent ; essayons de faire un voyage dans le passé, essayons d'imaginer nos parents, nos grands-parents, puis nos ancêtres, et nous finirons par aboutir, là encore, à une sorte d'unité, à un tronc commun, l'ensemble d'êtres qui ont sur cette terre été les premiers et qui sont nos vrais parents sur le plan physique, dont notre sang et nos cellules contiennent quelques traces. Mais ces êtres qui se sont succédé sur la terre depuis deux millions d'années ne sont pas nos seuls parents. En effet, nous devons nous poser la question : qu'y avait-il avant ? Qu'y avait-il avant que les hommes surgissent à la surface de la terre ? Il y avait la terre, il y avait des animaux, il y avait des végétaux. Nous pouvons nous demander encore ce qu'il y avait avant que la planète Terre existe, et, à ce moment-là, nous poser la question pour tout le système solaire. Il y a de fortes probabilités pour que le système solaire ait été créé en totalité, simultanément. Or, avant même que le système solaire existât, il y avait la vie. Pouvons-nous imaginer un état de néant, rien, absolument rien, et, soudain, l'apparition de la vie ? Si nous prenons vraiment conscience du fait qu'en définitive nous appartenons à un esprit supérieur qui gouverne tout, et si nous nous imprégnons vraiment de l'essence de cet esprit supérieur — essence d'é-ternité — il nous devient impossible de réaliser un état et un moment de non-vie. En esprit et en vérité, le néant est impensable.

En revanche, on peut parfaitement concevoir l'infini dans le temps. Il n'y a pas de limite dans l'espace, il n'y en a pas dans le temps. L'éternité étant concevable «en avant», et je puis dire, elle ne l'est donc pas moins «en arrière». Il y a toujours eu la vie, mais certes pas toujours sous les mêmes formes. Les formes n'ont pas d'impor-tance, ce qui importe est l'esprit de la vie. Et l'esprit de la vie, de par ses exigences et sa grandeur, ne peut pas être autre chose qu'un permanent état de réalisations. Plus vous appro-fondissez la vie, plus vous rencontrez l'esprit de la vie. Même sans aller jusqu'au fond des choses, vous sentez partout la vie. Prenons même l'exem-ple de notre petite planète. Nous devons bien le savoir, car la science nous l'a prouvé, en n'im-porte quel endroit, même dans le pétrole, même dans les profondeurs de la terre, même dans les profondeurs des glaces, il y a de la vie. Dans les fonds marins, on vient de le découvrir, il y a de la vie : à des profondeurs où l'on croyait que la vie n'existait pas, il y a des êtres, car j'appelle êtres tout ce qui est animé. Du reste, tout est animé par la vie.

Puisque nous avons cette chance de pouvoir considérer la vie du haut de la pyramide humaine et scientifique de deux millions d'années, nous pouvons encore ajouter que tout est être vivant, non seulement les êtres humains, non seulement les animaux, non seulement les plantes, mais tout le reste. Tout est absolument animé de vie. La science a disséqué la structure de la vie : quelle que soit cette vie, qu'elle soit du bois, du tissu, une feuille de papier, etc., tout est composé d'atomes. Dans chaque atome, les électrons gravitent sans cesse, et à toute vitesse, autour du noyau sans se heurter ! Prodigieuse merveille de la vie, prodigieuse organisation ! Tout, que ce soit un être humain, une table, une chaise, tout est plein de vie, de cette vie atomique extraordinairement animée. C'est là que nous pouvons réfléchir sur la relativité de la mort, ce que nous appelons la mort, qui n'est qu'une des formes de la vie. La relativité est le principal effort que nous devons faire pour connaître la vérité. Si nous ne faisons pas un effort de relativité, nous ne pouvons pas découvrir la vérité. Or, cette vie terrestre, l'intérêt que nous portons à nous-mêmes, l'importance que nous attachons à l'être humain, tout est absolument relatif. De sorte que ce qui fait très souvent le malheur des êtres humains provient de leur ignorance totale de ce qu'est la vraie vie et de leur allergie à la relativité.

Car aujourd'hui, malgré les lueurs que nous apporte la science, et malgré tous les apports que la pensée de ceux qui nous ont précédé met à notre disposition, l'homme est aux prises avec la peur, avec « les complexes », avec l'angoisse. Nous pouvons examiner l'Histoire, nous pouvons étudier de nombreuses confidences, nous ne trouverons jamais une époque où les êtres aient été aussi tourmentés que dans la nôtre. Et cela, je le répète, provient d'une cécité morale, d'une cécité spirituelle, d'une ignorance totale de la vérité, que nous sommes plus ou moins incapables de regarder en face et de vivre. L'angoisse résulte pour 90% de la peur de la vie et de la mort. Or, on n'a peur que de ce que l'on ne connaît point, et l'on ne saurait avoir peur de la mort que si l'on ne comprend rien à la vie.

C'est le mécanisme de la vie que j'essaie de démonter devant vous. On devrait être heureux de se considérer comme une feuille morte qui va s'ajouter à l'humus dont la terre se nourrira après nous. Comme nous sommes venus, nous disparaissons, et, de même que nous n'avons pas demandé à venir, nous ne demandons pas à partir, mais nous devons accepter de bon cœur de partir. Nous sommes déjà partis. Avec un petit effort de relativité, tout est tellement ténu que le temps d'une vie humaine représente à peine un soupir. Si nous nous penchons sur nous comme sur un instant de l'éternité, nous voyons comme infiniment peu important tout ce qui nous arrive, et, pourtant, tout ce qui se passe dans le laps de temps d'une vie humaine peut être infiniment merveilleux. Même la douleur, même la souffrance, il nous faut tout comprendre. Il faut comprendre que, comme une feuille morte sert, la souffrance d'un être humain, la mort d'un être humain servent à cet Être que nous venons d'inventorier, d'explorer — cet Être infini, à l'intelligence infinie, cet esprit de la vie. Nous le pénétrons, cet Être, nous essayons de nous identifier à lui, et, quand l'identification est acquise, sa volonté est la seule chose qui compte pour nous. Une Intelligence suprême a voulu cette apparition sur la terre des infimes êtres humains que nous sommes, et ce même esprit, selon sa volonté, son plan, son programme, voudra la disparition de ces infimes êtres humains.

Pourquoi rendrions-nous grâce à cet Être, à cet esprit, pour les joies qu'il nous procure, les sensations agréables qu'il nous permet, et ne lui rendrions-nous pas grâce aussi du « mal » qu'il nous fait connaître ? Parce qu'il est plus difficile d'accepter de la douleur, des difficultés, des souffrances que d'accueillir des joies, des plaisirs ? Mais le difficile n'est-il pas le propre de la condition humaine ?

Ayons conscience de la vie qui passe par nous, d'une manière très profonde, c'est-à-dire impersonnellement. Nous savons que cette vie profonde ne disparaîtra jamais. Une volonté a fait que nous apparaissions sous la forme d'hommes et de femmes ; la même volonté nous fera disparaître en tant que femmes ou hommes. Mais nous savons que l'essence même de cet esprit, unique dans l'univers, cette essence est éternité. Par conséquent, que nous soyons des êtres humains vivants ou que nous soyons des êtres disparus aux yeux des vivants, nous faisons partie de l'éternité. Nous faisons partie de l'infini éternel, c'est de lui que dérive l'essence de notre être, c'est lui qu'elle réintégrera. Seule notre forme actuelle doit disparaître. Elle le doit, dans les deux sens du terme. Notre être physique va se dissoudre, entrer en décomposition, quand cessera de battre notre cœur et de circuler notre sang, mais l'essence spirituelle de cet être physique ne mourra jamais.

Quant à savoir quelle forme physique nouvelle adoptera notre essence spirituelle après la mort de notre corps actuel, c'est une question égocentrique. C'est encore une question due à une méconnaissance de la vie. Réfléchissons et demandons-nous ce que nous faisons quand nous disons « je », quand nous disons « nous ». Si nous parlons trop de nous, et si nous nous voyons trop séparés, séparés de l'ensemble de la vie et des autres formes de la vie, nous sommes attachés à une personne qui est nous, une personne séparée. Or, une personne séparée ne peut pas être vivante en soi. Une personne qui s'amalgame au Tout immense, corps et esprit, au Tout immense qui est UN, cette personne-là n'a pas à se demander quelle forme revêtira son moi supérieur, qui ne lui est pas personnel, d'ailleurs, car elle sait — la personne qui a réfléchi, qui s'est vraiment unie au grand Tout — qu'elle ne disparaîtra jamais en tant qu'essence. Mais en tant que personne transitoire, nous devons apprendre à disparaître, nous devons apprendre à disparaître constamment, à nous effacer constamment. Que ce soit difficile, j'en conviens, mais c'est la seule issue. Nous ne devons pas apprendre cela comme une obligation, loin de là, mais avec joie. Se considérer comme à la disposition de cette force qui nous a mis au monde, à la disposition de la vie en tant qu'être pensant, cette force qui nous retirera de cette forme dite humaine et qui mettra notre essence spirituelle à la place qui lui convient.

Très souvent, sinon toujours, la nature, les apparences, les objets et les détails de la vie matérielle nous donnent des leçons. Je vous parlerai souvent de choses que nous fréquentons quotidiennement, et qui sont des leçons perpétuelles. Un exemple, rapidement : nous trouvons normal que, dans une ville, il y ait des feux rouges, des feux verts. Bien sûr, nous pouvons, quand nous sommes pressés, le trouver un peu moins normal et réagir plus ou moins impatiemment devant un feu rouge qui nous paraît durer trop longtemps, tout en reconnaissant la nécessité d'une discipline de vie collective, et puis, soudain, un feu vert apparaît, et l'on passe. Quand il vous arrive quelque chose de désagréable, quand vous sentez une résistance, dites-vous : feu rouge ! Il faut attendre que le feu vert se présente, sans s'impatienter. C'est un exemple entre mille. Par exemple, ce stylo, ce stylo ne résiste nullement, il fait ce que je veux, il ne s'en occupe pas. Précisément, pourquoi nous, à qui il a été donné de penser la vie, sommes-nous moins dociles qu'un stylo ? Parce que nous sommes intelligents ? Mais cette intelligence, à qui appartient-elle ? À L'IN-TELLIGENCE. Quelle Intelligence ? L'intelligence suprême, l'intelligence-source. Nous lui devons obéissance tout autant que ce stylo me doit obéissance. Si nous demandions à un atome quelconque, que ce soit un des atomes de ce stylo ou que ce soit un des atomes de cette feuille de papier, qui l'a fait, il pourrait répondre, s'il était conscient et égocentrique comme nous : c'est moi ! Or, ce ne serait pas exact. L'intelligence qui nous anime, ce n'est pas nous qui l'avons faite. Elle ne doit donc pas nous rendre orgueilleux mais dociles devant « la vie ».

Nous verrons de près le mécanisme de la pensée, le mécanisme de l'amour, le mécanisme du bien, du mal, du moins de ce que nous appelons le bien, de ce que nous appelons le mal. Nous essaierons de comprendre, puis de bien manier le mécanisme de la vie et de ce que l'on appelle la mort.

À propos de mort, un exemple remarquable et quotidien est celui des gares. Les trains partent, on dit : « au revoir » à un être. Si l'on n'avait plus de nouvelles de lui, par la suite, il serait fictivement mort. Dans les gares, il y a des trains qui arrivent aussi, nous sommes heureux de retrouver un être cher, après une séparation. Il arrive, il est là, mais nous pouvons faire un retour en arrière et penser à tous les instants où il n'était pas là. Maintenant, il est là, près de nous, si vivant tout à côté de nous. Or, il était aussi vivant à l'époque où nous ne le voyions pas. Prenons l'exemple de l'être cher qui nous a quittés, non plus dans une gare, mais dans l'existence : il nous a quittés, mais le meilleur de lui-même demeure. Je me souviens d'une lettre admirable de Gandhi à l'un de ses amis qui venait de pleurer la disparition de sa fille. Il lui disait :

« Elle nous a quittés, nous laissant le meilleur ». C'est tellement vrai ! Et ainsi de presque tous les êtres qui disparaissent : on ne regarde plus que le meilleur d'eux-mêmes. Ce n'est pas de l'hypocrisie. On avait détesté un tel de son vivant, on lui avait trouvé beaucoup de défauts, mais, à présent, parce qu'il a disparu, on vante ses qualités. Remarquez que, lorsqu'il s'agit d'un adversaire, d'un ennemi, c'est un peu moins sincère. C'est un phénomène général, authentique, émouvant, qui fait de la mort un révélateur mettant en relief les bons aspects d'un individu. Ne reste de lui que l'essence spirituelle, tandis que le caractère, les défauts, et même les vices, ce en quoi il a pu déplaire et nous faire souffrir, on a tendance, même s'il s'agit d'un ennemi, à l'oublier, car chaque être a en lui une essence noble, si faible soit-elle, une essence de ce que nous pourrons appeler plus tard le divin. C'est donc que cet être avait en lui un meilleur que lui, relatif à son âme, à son esprit. Le meilleur de son âme, le meilleur de son esprit, c'est cela qu'il nous reste.

Chaque fois que nous examinons la beauté d'une âme, chaque fois que nous examinons la laideur d'une âme, nous devons faire le même travail que celui que nous avons fait au début. La beauté d'une âme fait partie de quoi ? et la laideur d'une âme fait partie de quoi ? C'est comme le mal. Le mal fait partie de quoi ? Et la volonté fait partie de quoi ? Personnellement, je fais partie de quoi ? De la Terre, du système solaire, de notre galaxie, des autres galaxies, de l'Infini. De même, nous devons toujours nous poser la question : à quoi appartient l'intelligence, à quoi appartient l'âme, à quoi appartient le mal ? Ce que nous appelons le mal, la méchanceté, par exemple, la bonté, sont des réalités pour nous. Un être bon, cela se voit, parfois peu, mais il y a toujours une manifestation de cette bonté. Nous sommes en présence de réalités palpables, la bonté, la méchanceté, ce que nous appelons le mal, ce que nous appelons le bien, de même ce que nous appelons la vie et la mort. Il faut savoir justement que tout cela appartient à une Unité invisible et indivisible.

À quoi appartient la vie ? Réponse : à la vie éternelle. À quoi appatient la mort ? Réponse : à la vie éternelle. Donc, la mort est une valeur extrêmement relative, c'est une valeur pour nous, pour nous humains. Nous finirons par nous demander, avec beaucoup de courage, si le mal, ce que nous appelons le mal, n'est pas une valeur elle aussi relative et peut-être fausse. Et nous nous apercevons qu'elle est une valeur fausse, car il n'y a pas de mal absolu. Le mal n'est qu'une manifestation superficielle. Au fin fond des choses, le mal n'est plus, il n'y a que de l'Amour, l'Amour qui est le moteur de la vie, de l'espace dont nous parlions tout à l'heure ; le gouvernement de la vie, c'est l'Amour. Mais le dire est une chose, et le prouver en est une autre. Je sais que presque toutes les religions en sont venues là, à proclamer l'existence de l'Amour, et à dire, plus ou moins, sous des formes parfois différentes, que tout est Amour. Mais il faut le prouver et nous le prouverons en le découvrant. Comprenons bien que tout est à repenser, tout, car nous faussons tout par notre attachement aux formes que nous avons reçues provisoirement. Nous sommes des êtres transitoires et nous pensons trop en tant qu'êtres définitifs. Oui, il nous faut tout repenser, arriver à nous abstraire de notre qualité, qui est un défaut aussi, d'être humain séparé. C'est une qualité, d'être homme, quand on ne se sépare pas de son contexte, mais c'est un défaut quand on est sclérosé dans sa forme humaine et que, pensant en tant qu'humain terrestre, on oublie de s'étendre jusqu'à l'infini de ses racines. Nos racines, n'est-ce pas, plongent dans l'infini et dans la vie éternelle, et ce n'est qu'accidentellement et temporairement que nous revêtons une forme humaine. Ce que je veux souligner encore une fois, essentiellement, c'est qu'il est erroné et dangereux de vouloir envisager LA vie d'après NOTRE vie, de confondre notre existence avec la vie. Voilà le grand malheur ! Et voilà pourquoi les êtres ne peuvent pas être heureux. Ils arrêtent la vie dans les limites de leur vie et de la vie terrestre.

Oh, je sais combien d'objections on peut me faire ! Mais toutes se résumeraient, en somme, du moins je le pense, à ceci : « Il est évident que, plus on réfléchit, plus on conçoit que tout est relatif, mais néanmoins, si je suis en présence d'un gros ennui financier, c'est bien un gros ennui financier, si je suis en présence d'une maladie, c'est bien une maladie. » Oui, cela est vrai, relativement vrai. Il faut ne jamais oublier le contexte de ce qui nous arrive. La signification en est « ailleurs ». Alors, nous pourrons comparer nos événements à un jeu auquel on nous convie, comme si nous étions des acteurs en train de jouer une pièce, sachant très bien que nous ne sommes ni l'auteur, ni Britannicus, par exemple, ou Harpagon. Pourtant, nous sommes ces personnages, oubliant que nous ne sommes que des acteurs. Puis, quand la pièce est terminée, chacun se dégrime, se déshabille, et redevient M. Dupont, M. Durand, etc. Eh bien! presque tout ce que nous vivons n'est qu'apparence et illusion; la réalité est d'un autre côté, de l'autre côté du décor. Le mal, c'est de ne pas comprendre cela, le mal, c'est de ne pas voir la réalité, réalité extérieure à la nôtre et à nous.

Mais le mal, c'est non seulement de demeurer séparés de la réalité profonde et de la vie des profondeurs, mais aussi d'être séparés de nos frères sur la Terre qui sont sur le même « bateau » que nous. Nous pouvons bien employer ce terme de bateau spatial : nous sommes sur une planète qui est un véritable astronef, qui se conduit comme un astronef, en mouvement perpétuel, ce qui assure son équilibre dans l'espace, selon les lois dont tous les corps célestes sont tributaires.

Le grand mal, c'est de se séparer consciemment ou inconsciemment de la grand famille humaine, de la grande famille de l'Univers.

L'HOMME, HABITANT DU COSMOS

L'homme n'est pas par lui-même, il est le produit de son environnement. L'homme n'est pas cette chose infime qu'il peut paraître par rapport à l'infini, ni même cette chose immense qu'il peut paraître par rapport aux végétaux et aux animaux. L'homme est partie intégrante d'un Tout immense et uni, vraiment UN, et c'est alors qu'une réflexion vient à notre esprit : notre vie, qu'est-elle, représente-t-elle ce que nous en pensons et ce que nous en voyons ? L'homme est en quelque sorte un animal qui vit au jour le jour ou plutôt qui s'imagine vivre au jour le jour. Précisément, ce qui crée un handicap pour l'homme dans la compréhension de LA vie, c'est le fait qu'il vive au jour le jour, c'est le fait que la vie soit coupée en tranches, tranches de 24 heures qui ne sont même pas vingt-quatre, à cause de la marge du sommeil, et l'homme arrive d'autant moins à comprendre sa condition qu'il est pris dans cet engrenage quotidien des heures, des obligations, de la fatigue, du travail, des maladies, de la souffrance.

Il ne comprend pas, il ne comprend pas LA vie, parce qu'il essaie de voir la vie à travers SA vie. Donc, la première des choses à faire quand on veut affronter la vérité, c'est de ne pas se mettre soi au premier plan, de ne pas mettre au premier plan sa propre existence et d'essayer, quoi qu'il en coûte, de sentir la vie tout entière.

L'essentiel de notre investigation et de notre découverte, c'est de bien réaliser que l'homme est une partie d'un Tout énorme, gigantesque, que nous avons, au chapitre précédent exploré dans l'espace cosmique infini, un être insignifiant et cependant gigantesque comme le Tout dont il fait partie. Ce n'est pas une question de quantité. Nous vivons à l'époque de la quantité : on aime tout ce qui est colossal, tout ce qui est grand. Or, il ne s'agit pas, en l'occurrence, quand nous disons que l'homme est imbriqué en un Tout gigantesque, d'être impressionné par ce Tout parce qu'il est gigantesque, mais d'abord parce que ce Tout est traversé par une pensée. Parce que ce Tout, est conditionné, agencé, déterminé et étayé par une pensée, une volonté, une force, un équilibre prodigieux. Nous avons exploré l'espace, nous avons exploré l'homme, et, ce faisant, nous avons connu la Pensée Gouvernante ; en quelque sorte, nous avons exploré Dieu.

J'emploie le terme «Dieu», et, chaque fois que je l'emploierai, je vous prierai d'essayer de ne pas vous remémorer les circonstances dans lesquelles on a fait de Dieu un être distinct et un être essentiellement rattaché aux religions existantes. Si je dis : «Dieu», c'est qu'il est impossible de trouver un autre terme. On peut dire : « L'esprit Universel », on peut dire : « L'esprit gouverneur », on peut dire : « L'esprit-chef de la vie », on peut dire : « La Cause première ». Mais le mot « Dieu » est, par son sens étymologique même, le mot qui convient, le plus générique, celui qui résume tous les aspects de l'Être — à savoir : supérieur, et supérieur à tout ce que l'on peut considérer comme supérieur. Nous pouvons l'appeler également l'Être Unique, puisque c'est le seul Être, mais, après tout, pourquoi ne pas réhabiliter ce nom si galvaudé : Dieu ?

Il est absolument indispensable que nous sachions quel corps, quelle âme, quel esprit sont les attributs de Dieu. Je crois avoir réussi à vous montrer, sinon à vous démontrer, que Dieu seul EST. Non seulement Dieu est existant, mais Dieu est, Dieu est le seul être qui soit. Et « nous », les hommes, les planètes, les autres êtres pensants, les soleils, les végétaux, les animaux, tout ce qui existe, nous ne sommes que des atomes, des molécules, des éléments constituants de Dieu. À l'instar de se laisser persuader que ce qu'on appelle l'homme est, non pas vivant et intelligent, mais partie intégrante d'une vie et d'une intelligence qui sont Dieu, certains sont désemparés, parce que reconnaître que Dieu seul existe et que Dieu seul est, implique qu'on ne puisse lui parler, le voir, le prier. Cette philosophie essaie de vous montrer le chemin. C'est une sorte d'éclairage de la vie et de l'existence, et chacun peut regarder ce qui est éclairé sans être tenu de suivre la route qui lui est montrée.

La constatation la plus capitale, outre le fait que l'homme est un être de l'espace, c'est que tout, dans cet espace infini, est admirablement dirigé, absolument tout. Il y a un équilibre, il y a une force, il y a une pensée, il y a une volonté, constamment il y a des êtres qui meurent et d'autres qui naissent, et ainsi de suite, la vie continue. Je dis bien : des êtres. Quand une étoile disparaît, quand une étoile naît, c'est un être qui disparaît, c'est un être qui naît.

Chez l'homme aussi, on naît, on vit, puis on disparaît ; il y a toujours des morts, mais il y a toujours des vivants. La vie continue. En dépit des fléaux naturels et des guerres, il y a toujours des vivants, et quand bien même une guerre atomique surviendrait, mondiale, et détruirait l'humanité, ferait exploser notre planète, la vie continuerait. Il y aurait quelques secousses dans le système solaire, mais la vie continuerait, et la vie continuera toujours, interminablement, aussi harmonieuse, comme elle a toujours été. À cet égard, je suis heureux d'apercevoir une confirmation dans la science, tant il est vrai que cette philosophie est scientifique et cosmique. Rien n'est avancé qui ne puisse être prouvé, constaté. Aujourd'hui, ce sont des preuves que veulent les êtres humains, parce qu'ils sont maintenant âgés de deux millions d'années et ne peuvent plus se contenter d'images, de pères Noël, etc. Ils n'y croient plus ou tendent à ne plus y croire. Ainsi donc, ayant l'âge de deux millions d'années, nos contemporains sont au sommet d'une pyramide de pensées, de vies, d'expériences, et embrassent un panorama bien plus large que celui de leurs prédécesseurs, surtout les premiers hommes, qui étaient au bas de la pyramide. Notre panorama de la vie, de l'existence, nous permet d'avoir l'optique la plus objective et la plus claire de la vérité, laquelle est synthèse de la science et de la foi. Cette synthèse est aujourd'hui tellement évidente que des savants chrétiens, comme Teilhard de Chardin, reconnaissent que la foi et la science ne sont plus aujourd'hui contradictoires. Attention, quand je dis foi, comme lorsque je dis Dieu, il ne s'agit pas de religion organisée, ecclésiastique. Il s'agit de foi en Dieu, c'est-à-dire en le seul Être, la seule Pensée, l'Unique, l'esprit fondamental.

Je trouve, chez un autre savant, Charles-Noël Martin, grand savant atomiste, la confirmation de ce que la vie a toujours été. C'est à propos de la météorite qui est tombée à Orgueil, un village français, le 14 mai 1864, et dont on a analysé les particules, ce qui a permis de découvrir des éléments que l'on trouve sur la terre et qui favorisent la vie humaine, des hydro-carbures, des hormones sexuelles, des cellules, des pores, d'autres éléments absolument probants de la vie organique. On a donc maintenant la preuve que la vie existait dans l'univers, bien avant que la vie ait donné naissance à l'humanité sur la terre. Charles-Noël Martin écrit : « Ces pierres qui tombent du ciel, les météorites, sont messagères de la plus grandiose information qui puisse être : la vie existe partout, elle a toujours existé, elle existera toujours ».

Il est bon d'avoir des preuves par la science, car

131

il y a encore des sceptiques, se refusant à admettre l'existence d'êtres pensants et intelligents en dehors de la Terre. Or, maintenant, la preuve est faite que des êtres humains existaient dans l'Univers bien avant que l'intelligence soit apparue sous la forme humaine sur notre planète. Il y a donc vie éternelle, il y a une vie qui n'a jamais commencé et qui ne se terminera jamais.

L'image de la création du monde impliquant l'existence, si l'on peut dire, d'un néant préalable, est une image fausse. Il n'y a jamais eu de néant d'où serait sorti un jour une création. Ce n'est pas une vérité de révélation que je vous énonce là, c'est une vérité de déduction, d'évidence, que nous obtenons en reliant l'infini de l'espace à l'infini du temps. Ce qui a eu lieu, par contre, c'est la création des soleils, la création de systèmes solaires, et cette création continue. Ce ne sont que des transformations de la vie, mais la vie en soi, en tant que vie, a toujours été, et par conséquent sera toujours.

Donc, l'homme qui fait partie intégrante de l'espace infini, fait partie intégrante aussi de la vie éternelle. Qu'est-il ? Un esprit. D'où vient-il ? De la vie éternelle. Où va-t-il ? À la vie éternelle. À cet égard, je suis obligé de vous demander encore, comme je vous l'ai demandé pour le mot Dieu, de ne pas faire de confusion avec ce que vous avez pu entendre de semblable. Tâchez, quand vous essayez avec moi de découvrir et d'explorer la vérité, de faire abstraction de tout ce que vous avez pu lire, entendre, croire ou savoir, de façon à ce que vous puissiez découvrir vous-mêmes, tout seuls, par déduction, ce que je vous expose, résultat d'une expérience et d'une méditation purement indépendantes. Il faut que vous fassiez l'effort de laisser au vestiaire les conceptions, les souvenirs, les habitudes, les impressions, les préjugés religieux ou anti-religieux, toute l'éducation, toute la formation, et que vous vous efforciez d'avoir l'esprit vierge, l'âme vierge, la pensée vierge devant cette recherche, cette découverte de la vérité. Je sais que c'est très difficile, car la formation est très souvent déformante, et, pourtant, ce n'est que par cet effort de repenser tout que l'on peut arriver au seul but qui soit valable, qui justifie notre existence d'hommes et de femmes, à savoir retrouver la source, la source de la vie, la source de la pensée, la source même de l'existence humaine, et la source de tout.

Je considère comme établi que le meilleur en nous, ce qui nous constitue spirituellement, ne mourra pas.

Ce n'est pas une raison, même en égard du fait d'avoir été dotés de pensée, de parole et de conscience, pour nous arroger le droit de nous croire des personnes, des personnalités autonomes, par conséquent importantes. Ainsi avons-nous du mal à accepter l'idée de n'être que des instruments, des atomes, des cellules à la disposition de l'Être, du seul Être. La question qu'il faut poser, ce n'est pas : « Qu'est-ce que je vais devenir après ma disparition physique ? » La bonne question est : « Qu'est-ce que j'étais avant de faire semblant d'être l'homme ou la femme que je suis ? » Un moment de la vie éternelle, une parcelle de l'Être et, une fois libéré de la vie physique, matérielle, je le redeviendrai.

Non seulement l'homme n'est pas distinct de l'espace cosmique et de la vie éternelle, mais il n'est pas distinct non plus de la nature. L'homme est de la nature, il est dans la nature, il fait partie de la nature. On a tort de séparer l'homme de la nature, comme on a eu tort de le séparer du cosmos.

Heureusement, cette erreur commence à être réparée et, de plus en plus, dans les milieux religieux, de n'importe quelle religion, sous la poussée de la science, d'ailleurs, et de l'optique scientifique, on commence à reconnaître que l'homme est partie du cosmos et qu'il est donc un des êtres cosmiques. Je précise, personnellement, qu'il n'est pas plus un être cosmique que l'oiseau ou le brin d'herbe ; il l'est même moins qu'eux en ce sens que l'homme se crée des patries, alors que l'oiseau et le brin d'herbe n'ont pour patrie que le cosmos.

L'homme, membre de la nature, membre de l'espace, membre de l'éternité, est au carrefour des forces. Comme des forces soutiennent les planètes dans l'espace et font qu'elles tiennent en équilibre, des forces précises, mathématiques, implacables, de même les natures et les destinées humaines sont à la jonction de forces qui les déterminent et les maintiennent en équilibre. Nous non plus, malgré notre pensée, notre corps, notre hérédité, notre arbre généalogique, notre ascendance spirituelle, nous ne sommes pas des êtres spéciaux, distincts de la nature et se gouvernant eux-mêmes. Nous faisons partie d'un ensemble uni, et nous le «pensons».

L'homme est donc là, au carrefour des forces, au carrefour d'âges, et il le sait : c'est cela qui le fait «homme». Mais, comme les planètes le sont, l'homme est dirigé, tout en étant le seul être sur la Terre qui soit autorisé à croire qu'il se dirige lui-même.

Il est évident que, si une planète avait une conscience, une pensée, elle croirait que c'est elle qui détermine son mouvement, sa vitesse, son orbite. Et sans doute fallait-il que l'homme croie qu'il se dirige lui-même. Mais qu'est-ce que l'homme ? On dit «l'homme», on dit «la femme», mais il y a des milliards d'hommes, de femmes, et combien de milliards de milliards de milliards d'êtres humains ont passé sur la terre depuis deux millions d'années ? Cela est incalculable. Et pourtant on dit toujours «l'homme», et , pour ne prendre que notre «étage» actuel, notre état sur la terre actuellement, il y a un certain nombre de races, un certain nombre de nations, et, à l'intérieur de ces races et de ces nations, et entre ces races et ces nations, il y a des variétés, des différences extraordinaires. Qu'est-ce qui rend un homme semblable à un autre homme sur la planète ? Est-ce le fait qu'il ait une tête, des membres, une pensée ? Tous les êtres ne pensent pas également. Il est des êtres qui pensent très peu. Le fait qu'il ait une conscience ? Il est des êtres qui n'ont pas de conscience ou qui en ont à un niveau vraiment insignifiant.

On a décrété, au nom de la conscience, au nom

de ce terme générique d'homme, que tous les êtres ont une responsabilité égale, et on a prétendu mettre en accusation l'ensemble des hommes pour une responsabilité censément commune. Pour qu'il y ait responsabilité commune, il faut qu'il y ait conscience commune, il faut qu'il y ait conscience égale au départ, la même conscience du bien et du mal : on ne peut juger des êtres pour avoir enfreint des règles de conscience que si le degré de connaissance de ces règles est pour tous le même. Or, ce n'est pas le cas. Et, du reste, nous nous apercevrons, par la suite, qu'on ne peut pas juger. Enfin, pour l'instant, limitons-nous à la question : « Qu'est-ce que l'homme, ou plutôt que sont les hommes ? »

Très divers, donc très différents les uns des autres, ils n'ont guère de commun que la station debout et le fait qu'ils parlent et qu'ils pensent plus ou moins.

De quoi est fait l'homme ? Un grand savant, Teilhard de Chardin, d'accord avec l'immense majorité des savants, répond en dressant son Arbre de Vie : d'abord, le monde minéral, puis les méga-molécules, les bactéries, les protozoaires, les polypiers, les spongiaires, les cœlentérés, les vermidiens, les annélides, les arachnides, les crustacés, les insectes, les poissons, les amphibiens, les reptiles, les oiseaux, les marsupiaux. J'énumère là les éléments de l'arbre de vie, tel que l'a conçu T. de Chardin, et qui est le résumé de toutes les découvertes scientifiques (« Présence de Teilhard de Chardin », de Georges Magloire Éditions Universitaires, Paris). Ensuite, les mammifères placentaires, les primates, le pitécanthrope, le sinanthrope, l'homme de Néanderthal, enfin ce qu'on appelle l'Homo sapiens, l'homme sage, intelligent, de qui nous dérivons. Nous arrivons à l'homme moderne, après lequel, selon la conception purement personnelle de Teilhard de Chardin, il y aurait encore plusieurs branches, aboutissant au « surhomme » ou « point Omega ».

Ce qui est important pour nous, mise à part l'hypothèse de Teilhard de Chardin sur l'avenir de l'homme, c'est que tout « notre » passé, si je puis dire, si je puis parler de nous en tant qu'êtres distincts, est précisément un passé de synthèse, un passé d'amalgame avec la nature. Il y a en nous du minéral, du végétal, il y a tous les temps primitifs de la terre, il y a la terre, il y a le ciel, cette terre qui n'a cessé, depuis qu'elle existe, d'évoluer dans le ciel, nous sommes faits de terre, nous sommes faits de ciel, nous sommes issus d'animaux, de végétaux, de minéraux, nous sommes un mélange, une synthèse encore en état de « devenir » ! C'est pourquoi, malgré tout, nous ne sommes que de petits enfants ; aux yeux de très grands savants, chronologiquement, l'homme est encore un enfant. Quand on sait tout cela, on s'explique bien des choses, on peut comprendre tout ce qui arrive.

Considérant l'état d'inintelligence que manifestent les hommes en tant que collectivité mondiale, à travers toute leur Histoire, nous comprenons qu'en effet ceux que l'on appelle les hommes (si fiers de se dire hommes !) ne sont encore que de petits enfants. Petits enfants vraiment : âgé de deux millions d'années environ sur une planète qui a un âge de 5 milliards d'années, ce qui donne une proportion de 2/5.000! Ils sont très jeunes et, par conséquent, pleins d'avenir.

Pas plus qu'il n'a un corps autonome, distinct de la vie éternelle, de la nature, de l'espace et de leurs lois, l'homme n'a pas de pensée propre, autonome. Il est pensé et il croit penser. Jusqu'à présent, je crois vous avoir démontré la véracité de ce que je vous ai affirmé. Je peux donc énoncer cette vérité qui découle de ce que nous avons déjà découvert : l'homme n'a pas une pensée à lui, il ne pense pas par lui-même. La chose la plus importante et la plus difficile à admettre, à faire admettre à des êtres qui se croient importants, c'est qu'ils ne sont rien, qu'ils ne pensent pas par eux-mêmes, mais qu'ils reçoivent la pensée dans la mesure où ils sont des instruments au point pour cela.

L'homme instrument, l'homme récipient, oui, cela est très difficile à admettre, et, cependant, il va bien falloir que nous l'admettions. Prenons l'exemple de l'homme de Néanderthal, qui vivait il y a environ quarante mille ans. On a découvert, dans les cavernes qu'il habitait, des gravures, des œuvres d'art splendides. Le squelette découvert au Tanganyika et daté scientifiquement (carbone 14) de 1.750.000 ans, était entouré d'instruments. Donc, il y avait déjà une intelligence et même quelques éléments d'art. Alors, si, il y a quelque deux millions d'années, il y avait déjà de la pensée dans l'homme, si, il y a quarante mille ans, les hommes pouvaient faire des œuvres d'art aussi belles, très souvent, aussi majestueuses que celles des grands artistes des siècles récents à nos jours, c'est que l'art, la pensée n'ont pas d'âge et sont à la disposition, en permanence, de tous ceux qui peuvent les recevoir.

Nous, les hommes et les femmes d'aujourd'hui, nous appartenons à un siècle extrêmement remarquable pour la conduite de la pensée et la recherche de la vérité, parce que nous avons devant nous ce que n'avaient pas les autres, c'est-à-dire des éléments de comparaison excellents pour la connaissance : par exemple, des postes de radio et des postes de télévision. Nous savons que, si un poste de radio, un poste de télévision sont bien constitués, et avec des lampes non usées, ils captent des émissions, des sons et des images. Mais ce ne sont pas les postes en question qui ont fait, qui ont émis ces sons, ces images. Il y a, quelque part, des studios, où l'on prépare des émissions. Sans doute, si le poste de T.S.F. et le poste de télévision avaient une intelligence et un orgueil semblables à ceux de l'homme, ils diraient à l'homme : « C'est moi qui te donne ce spectacle ». Nous qui savons que les spectacles sont conçus ailleurs, ne pouvons-nous facilement imaginer un homme qui croit concevoir et qui, en réalité, reçoit des conceptions, des idées, qu'il filtre ou qu'il ne filtre pas, qu'il accepte ou non, qu'il amplifie ou non ?

Quant à ses émotions, il n'a pas besoin de les recevoir d'une source d'émotions, il a sa structure intime, physique, qui fait sa sensibilité, son émotivité, qui constitue ses sentiments, notamment ses contacts avec les autres êtres, la vie de l'âme.

La pensée qui existait avec combien de valeur dans des civilisations aujourd'hui disparues (Atlantide, Lémurie, etc.) n'a donc pas d'âge. En effet, il y a eu des civilisations supérieures aux nôtres. Elles ont disparu. Elles étaient supérieures aux nôtres en sagesse, et même en technique... on sait déjà assez de choses pour pouvoir affirmer qu'il y eut des civilisations qui, ayant découvert la désintégration atomique, en sont mortes...

Toujours dans le domaine de la pensée, étudions le phénomène des découvertes. Ce n'est qu'une question d'âge, de maturité. Il n'est pas permis, à un âge donné de la terre et de l'humanité, de «découvrir» quelque chose ; quand les conditions sont réunies, alors, ce que l'on appelle la découverte apparaît. Comme la pensée, la découverte n'est pas le fait de l'homme, elle n'est pas création. Le mot découverte lui-même le dit : si je couvre cette montre de telle manière que personne ne puisse la voir, je ne crée pas la montre lorsque j'enlève le journal et que tout le monde s'aperçoit qu'il y avait là une montre. Je ne fais qu'enlever la couverture, je découvre... Voilà l'histoire des inventions. Elles naissent quand elles doivent naître, c'est-à-dire qu'est révélé ce qui peut l'être.

La psychologie a démontré qu'il n'y a pas un visage au monde qui soit semblable à un autre visage. Même des jumeaux, des jumelles, ne se ressemblent pas véritablement. Un psychologue sait discerner dans leur regard une différence. Du reste, les êtres sont infiniment différents par leur tempérament et leur mentalité. Et, pourtant, ils se ressemblent, ils font vraiment partie les uns des autres. Voici à cet égard l'optique de la science. Teilhard de Chardin, au nom, écrit-il, des savants de toutes les disciplines, a énoncé deux évidences (Revue « Geobiologica », organe de l'Institut de Géobiologie, 1er volume, 1942, Pékin) :

« Premièrement, les êtres vivants, pris tous ensemble, forment un seul système, lié à la surface de la terre. Système dont les éléments ne sont point simplement serrés et moulés les uns sur les autres comme des grains de sable, mais organiquement interdépendants les uns des autres » (d'ailleurs comme les électrons, protons et neutrons dans l'atome), « comme les filets liquides d'un réseau hydrodynamique, comme les molécules emprisonnées dans une surface capillaire.

« Deuxième évidence : cette nappe organique, que l'on appelle l'humanité, répandue sur toute l'étendue de ce que l'on appelle la croûte terrestre, qui est en réalité la zone chimiquement la plus active de la planète, n'est pas physiquement séparable, dans sa genèse et sa permanence, de la masse générale de la Terre qu'elle recouvre. La Terre, non pas seulement support spatial de l'homme, mais matrice de la souche vivante qui l'enveloppe. »

La terre, matrice de l'homme ! et enfant du soleil ! Lequel soleil est la matrice de tout le système solaire. En effet, l'une des conclusions de l'Année Géophysique Internationale est la suivante : « La Terre ne se déplace pas dans le vide, elle existe à l'intérieur du soleil, ne quittant jamais la couronne de celui-ci, c'est-à-dire exactement la quatrième et la plus extérieure des couches de son atmosphère gazeuse. Autrement dit, la Terre fait partie intégrante du soleil, et nous vivons dans le soleil »... Or, notre soleil n'est-il pas partie intégrante de la région locale de l'Infini, notre galaxie, pourtant composée de 200 milliards de familles solaires ? Ainsi, tout nombre se fond dans une unité, et nous faisons partie des uns des autres, et pas seulement nous, êtres humains. Nous l'avons déjà vu, tout fait partie de la nature infinie, tout fait partie du Vivant. Tout est vivant, même les pierres.

Il est capital qu'une grande pensée comme celle de Teilhard de Chardin, qui devait devenir un des plus grands savants paléontologues, ait pu être un jour un enfant de six ans, de sept ans, qui n'avait rien de plus pressé que de se procurer des pierres et des morceaux de métal. Pourquoi ? Parce qu'à cet âge, déjà, la pensée de cet être lui disait avec insistance qu'il y avait là de la vie. Et une vie vraiment émouvante, avec laquelle un dialogue était possible.

À la vérité, nous ne sommes rien si nous ne nous complétons les uns les autres. Voilà pourquoi les êtres qui se séparent de leur entourage, pour ne parler que de l'entourage social, et encore plus les êtres qui se séparent de l'entourage cosmique et de l'entourage planétaire, ne peuvent pas être heureux. Car l'homme seul n'est rien, mais il appartient au grand tout, et plus il est conscient de son appartenance au grand tout, plus il commence à devenir quelque chose. À savoir, une des molécules, mais pensante, d'un Être. Tant que l'homme n'arrive pas à prendre conscience qu'il est une molécule pensante d'un être unique et magistral, il n'est pas vraiment vivant. L'homme n'est homme que s'il accepte son anéantissement dans un grand Être éternel, dans un plus grand que lui, et d'abord son prolongement actif dans l'humanité entière. Oui, les êtres ne sont vivants et heureux qu'à la condition de ne pas se séparer du tout auquel ils appartiennent.

Dans ce tout, il n'y a pas seulement le tout cosmique, il y a le tout humain, et il ne faut pas l'oublier. Dans la mesure où l'on essaie de faire quelque chose pour les autres, on fait quelque chose pour soi, même sans le vouloir. Parce que nous avons besoin, les uns les autres, de nous aider à vivre. Nous avons besoin de nous compléter les uns par les autres. Ne nous sentons-nous pas un peu complétés, quand nous considérons toutes les origines, quand nous essayons d'aller à la source, aux racines ? Mais nous avons à nous compléter de tout ce qu'il reste à faire. Pour ce qui concerne la planète, faire une civilisation vraie, une civilisation planétaire. Pour l'instant, ce sont vraiment des jouets d'enfants dispersés dans un désordre fou, aux quatre coins d'une pièce. Et cela s'appelle les 120 nations de la Terre, les trois mille langues ou dialectes de l'humanité actuelle, les idéologies qui divisent, les politiques qui divisent, les armements monstrueux, les préjugés, les notions de races, l'orgueil, etc.

C'est à considérer vraiment comme un désordre infernal provoqué par des enfants encore inconscients, et il s'agit de mettre de l'ordre dans la pièce, de ramasser les jouets qui traînent. Il s'agit de grandir aussi, de ne plus avoir envie de jouer, et puis de faire quelque chose sur la Terre. La vie planétaire reste encore à organiser. Il y a du travail pour tous ceux qui se disent hommes. Cela signifie qu'il reste encore beaucoup de travail pour devenir hommes.

Ce qui est capital aujourd'hui, c'est que même les êtres de formation religieuse reconnaissent que le support de la vie spirituelle, c'est ce que l'on a appelé jusqu'à présent la matière. On l'a appelée la matière parce que, précisément, on l'a séparée du reste. C'est comme si je disais que l'homme — enfin, les hommes dans ce qu'ils ont de commun — sont uniquement un corps. Non, les hommes sont un corps, une âme et un esprit, un esprit qui fonctionne, qui ne fonctionne pas, qui fonctionne bien, qui fonctionne mal, mais cependant un esprit. Les hommes sont cela, corps, âme et esprit. Si je disais : « Les hommes sont seulement esprit », j'aurais tort. Certes, nous disons que l'homme fait partie de l'esprit, de l'esprit universel, de l'esprit cosmique, de l'esprit éternel. Cet esprit lui-même, cet esprit cosmique, cet esprit universel, a besoin d'un support matériel. Ce sont les planètes, les systèmes solaires, les galaxies, les corps, les nôtres entre autres. Sans cesse, l'esprit se sert d'instruments ; sans cesse, il a besoin de faire des expériences, d'utiliser des supports, et, pour ce qui concerne les êtres humains, la matière est un organisme extrêmement complexe. Le corps humain contient des éléments existant dans la nature, des éléments minéraux, et des tissus, des cellules, et l'homme est là, sur ce terrain, son corps, qui est un monde à lui tout seul, avec l'âme et l'esprit qui y travaillent. De même que le terrain de l'esprit universel, c'est la matière cosmique planétaire, le terrain dans lequel s'exercent et s'épanouissent l'âme et l'esprit des hommes, c'est leur corps.

Par conséquent, nous n'avons pas le droit de séparer le corps de l'âme et de l'esprit, ni l'âme du corps et de l'esprit, ni l'esprit du corps et de l'âme. Tout s'imbrique et les trois éléments sont absolument interdépendants. Un esprit ne serait rien sans un corps, sans la matière matrice ; aussi n'est-il pas étonnant d'entendre un Teilhard de Chardin chanter un Hymne à la Matière et dire : « La Sainte Matière ! »

Car la matière est de l'énergie. Et l'énergie est de l'Esprit.

LA VIE EST AMOUR

Au seuil de ce chapitre, nous apercevons les choses de plus haut, d'assez haut. Nous savons qu'on nous a fait entrer dans un jeu, un jeu très compliqué et très simple à la fois, nommé « la vie », et qu'on nous en fera sortir. Un phénomène a présidé à notre entrée dans ce jeu, c'est l'amour. Et un autre phénomène présidera à notre sortie de ce jeu qu'est la vie, et ce sera ce que nous appelons la mort.

L'altitude que nous avons atteinte par notre ascension nous a permis d'apprécier la panorama de la vie éternelle, de la vie dans l'espace, dont l'homme fait partie intégrante, et nous nous sommes ainsi aperçus que l'homme était une cellule de l'infini, une cellule de l'Esprit supérieur qui préside à l'infini ; nous avons compris que rien dans cet infini ne pouvait être équilibré sans qu'une pensée y présidât. De fait, une Pensée préside, une pensée commande toutes ces forces qui font que le monde tient en équilibre, et ces forces sont en train de nous traverser, comme elles traversent tout l'univers, tout l'infini. Que les êtres le sachent ou ne le sachent pas, ces forces les traversent, et qu'ils le veuillent ou ne le veuillent pas, ces forces les ont placés dans ce jeu que l'on appelle la vie terrestre, et ces mêmes forces les en retireront. Donc, cette vie, qui nous paraît complexe, cette vie qui nous paraît incompréhensible, cette vie est remarquablement simple et organisée. Voilà ce que nous savons par nos incursions dans la vie prolongée, car, enfin, la vie que nous vivons en ce moment, depuis que nous sommes sur la terre, n'est qu'un département, une toute petite localité de la Vie totale. C'est cela qu'il faut n'oublier jamais. Et c'est en ne l'oubliant jamais que nous pourrons comprendre et être heureux. Il ne suffit pas à l'homme d'exister, pour être véritablement et pour vivre. L'homme vrai ne se contente pas de manger, de dormir, d'aimer, de travailler, d'avoir des plaisirs. L'homme a besoin de comprendre, il ne peut vivre que s'il comprend, il ne peut aimer la vie que s'il la comprend toute.

Alors, vous me direz : il y a si peu d'êtres qui comprennent la vie dans laquelle ils sont impliqués, il y a si peu d'êtres qui rejettent la vie matérielle et tant d'êtres qui trouvent la vie absurde, que nous pourrions penser qu'il existe peu de vivants. En effet, des vivants intégraux, des vivants en totalité, en plénitude, il y en a peu. Nous pourrions même essayer de nous mettre à la place de ceux qui n'ont pas suffisamment de conscience et d'amour pour vivre vraiment, et qui peuvent passer tout le temps de leur existence sans avoir compris le sens de la vie. Même ceux-là servent, même ceux-là servent aux forces universelles, même ceux-là n'auront pas existé en vain, mais ils n'auront pas pour cela « vécu ».

Ce que nous recherchons, donc, ce n'est pas la vie en soi, c'est la vérité ; mais ce n'est pas la vérité en soi, c'est la vérité vivante et vécue. Il semble qu'il y ait contradiction entre les deux termes : nous ne recherchons pas la vérité, nous recherchons la vie — c'est-à-dire la vie dans sa plénitude — et nous ne recherchons pas la vie, mais la vérité, parce que la vérité seule vit et fait vivre. C'est là l'essentiel de notre quête, de notre situation, de notre position, l'essentiel de ce que nous avons trouvé, et l'Essentiel tout court. C'est l'essentiel que de comprendre. Si l'on veut prendre toute la vie, il faut la comprendre toute.

Je sais que l'on a élaboré de nombreuses thèses et antithèses, de nombreuses doctrines, de nombreux dogmes, pour essayer de faire comprendre d'autorité, pour essayer d'imposer la vérité aux êtres, mais une vérité imposée ne peut pas être la vérité. Il s'agit pour nous de chercher tout seuls dans les coins et recoins de la vie pour découvrir la vraie vérité, la vérité nue, au lieu de la vérité habillée, révélée, imposée, de la vérité artificielle, de la vérité qui convient à ceux qui veulent régner peut-être sur les âmes et sur les esprits. Il s'agit de trouver la vérité qui fait des êtres responsables, conscients et vraiment vivants, quelle que soit cette vérité, même si elle doit bouleverser ce qu'on nous a appris, bouleverser la religion dans laquelle nous avons été élevés ou l'athéisme qui nous habite. À cet effet, une chose est capitale, c'est, après avoir essayé de se prolonger, par un regard profond, dans la vie cosmique et dans la vie universelle, de s'unifier à la vie éternelle et cosmique et, par conséquent, de s'augmenter de la totalité de cette vie. Car un être, dans la mesure où il ne se branche pas sur la totalité, est diminué et ramené à sa plus simple expression. En effet, sa plus simple expression, c'est l'être qu'il est, dans un corps, avec des besoins, des désirs, des obligations, une situation, des cadres de vie matériels, etc. Et cela n'est rien. Rien!

Or, cet être peut devenir tout, en se branchant sur le Tout, et l'Esprit du Tout, précisément, en s'unifiant au Tout, lequel a une âme, lequel a une intention, lequel a une volonté, lequel a une intelligence dirigeante. Il s'agit de s'unifier à l'esprit de ce Tout en se polarisant sur cet esrpit. Comment?

D'abord, en faisant tomber les écorces qui nous empêchent d'effectuer cette polarisation, les bandelettes de momie, la vieille peau qui nous empêche de respirer, de voir ce qui est au dehors, d'être. Il s'agit d'être, d'être véritablement.

Il y a plusieurs sortes d'êtres, et l'être humain est le seul, parmi les êtres dits vivants, qui soit capable de savoir, s'il le recherche, à quoi il appartient. Il est le seul être vivant qui puisse penser la vie. Un chien, un chat, un cheval ne peuvent pas savoir à quoi ils appartiennent. Ils existent. Il y a pourtant un nombre incalculable d'être humains qui sont comme les chiens, les chats, les chevaux, à savoir qu'ils existent seulement, mais ne savent pas à quoi ils appartiennent. Certes, dans la majorité des cas, on sait que l'on appartient à l'humanité, à une planète, on sait que l'on appartient à un mécanisme : vie... mort... vie... mort... Voilà ce que l'on sait.

Mais cela n'est rien si l'on ignore l'Esprit Unique, remarquable, qui domine cette organisation parfaite de la vie infinie. Nous avons constaté que l'être humain ne pouvait pas vibrer, s'épanouir, s'il n'était pas complété. Voilà une des raisons pour lesquelles l'être humain dérive d'un couple et cherche toujours, pour se compléter, vibrer et s'épanouir, l'accouplement qui est la complémentarité vitale, l'action par laquelle il se complète. Mais se compléter n'est pas seulement cela, ce n'est pas le jeu des sexes, car ce jeu ne s'effectue que sur le plan temporel, un plan limité, le plan physique. Il n'y a pas que les corps, nous le savons. Il y a l'âme, il y a l'esprit. Il n'y a pas que la matière, il y a l'esprit de la matière, l'énergie. Et la grande matière cosmique qui s'appelle l'infini a un esprit aussi, une âme. Cette grande matière-là contient l'âme et l'esprit, comme dans le corps de l'homme agissent l'âme et l'esprit. Mais, est-ce qu'avec l'âme seulement, nous pouvons comprendre, nous pouvons posséder la vie ? Non. L'âme nous permet de ressentir la souffrance, la douleur, d'accueillir la joie, mais l'âme seule ne nous permet pas, sauf dans certains états d'exaltation, de comprendre la totalité et l'esprit de la vie. Par l'âme, on peut toutefois commencer à comprendre, mais encore faut-il que cette compréhension soit intégrée, absorbée, réélaborée par l'esprit. En somme, qu'elle passe par la conscience. Il faut être conscient pour être vivant. Je m'excuse de l'expression, du néologisme que je vais employer, mais l'essentiel, dirai-je, c'est de se consciencialiser, de se mettre en état de conscience aiguë. Cela n'est même pas suffisant pour exprimer ce que signifient ces mots : se consciencialiser, consciencialiser tout, consciencialiser tous les états que nous vivons pour les apprécier selon leur degré d'importance intrinsèque. Telle chose est-elle importante ? Telle chose ne l'est-elle pas ? On ne peut le savoir que par un effort de conscience, lequel nous replace dans l'ensemble, dans la totalité, dans la synthèse, et ce n'est que lorsque nous nous apercevons dans l'ensemble auquel nous appartenons, que nous comprenons la véritable signification de ce qui nous arrive et que, par conséquent, nous en apprécions la relativité ou l'absolu.

Donc, l'essentiel, c'est de tout penser, et repenser, de se brancher sur la vie totale et non pas seulement sur la vie que nous vivons sur la terre dans l'étroite localisation de notre existence. L'essentiel, c'est de retrouver l'état d'être total, celui d'un membre de la vie universelle et surtout de l'éternité. Nous avons fait un effort pour monter très haut, et il nous faudra faire un effort pour redescendre, car, après tout, nous sommes en bas. Nous sommes en bas — nous pourrions dire, certes, qu'il n'y a pas de bas et qu'il n'y a pas de haut —, par rapport à la vie totale, qui est la vie réelle, nous sommes au fond d'un précipice.

Tant il est vrai qu'il nous faut toujours faire un

effort d'ascension, si nous voulons revoir le pano-rama dans le sein duquel nous sommes membres de la vie intégrale, membres de l'éternité, la mort n'existant pas.

Oui, nous sommes en bas avec notre corps, avec notre poids de matière, et, là, nous pouvons faire une exploration dans le fini comme nous avons fait une exploration dans l'infini. Le fini, pour le moment, pour ceux qui sur la terre pensent la situation de l'être humain, c'est notre corps, avec notre cerveau, qui nous permet de recevoir les émissions de compréhension ; les émissions qui vont nous permettre de penser passent à travers le cerveau. Et, de ce cerveau, que nous dit la science ?

Il est un poste de réception, de réfléchissement et de réémission de la pensée ; il n'émet pas par lui-même, mais renvoie ce qu'il reçoit. C'est un poste admirable comprenant 14 milliards de neu-rones, ou cellules photo-électriques. Une décou-verte a été faite par des savants russes, et elle a été présentée à l'Académie de Médecine de l'U.R.S.S. Cette découverte, c'est pour ainsi dire l'atlas de l'écorce du cerveau humain, un atlas que l'on a appelé le cytoarchitectonique. Or, l'on a constaté que les planches de cet atlas du cerveau présentaient des analogies frappantes avec les planches astronomiques. Autrement dit, il existe une similitude totale entre la disposition des cellu-les cérébrales, qui se comptent par milliards, et la disposition des étoiles dans les voies lactées. C'est une chose absolument merveilleuse qui confirme ce que les Anciens avaient senti, avaient découvert, à savoir que tout ce qui est en bas est comme ce qui est en haut.

Nous l'avons remarqué dans le chapitre précédent, les atomes qui sont dans l'être humain — comme ils se trouvent être partie constituante de tout ce qui est — ces atomes ressemblent presque à un système solaire. Encore une reproduction en bas de ce qui est en haut.

Le Dr Salmanoff écrit : « Le cerveau, ce merveilleux instrument, contient en lui des milliards de micro-étoiles en puissance, des milliards de micro-soleils qui pourraient s'allumer » — ou qui sont allumés, ajouterai-je. Il en est qui sont éteints, et que d'autres peuvent allumer, car nous pouvons allumer ceux de nos frères qui sont éteints, parfois.

Un autre savant, le Professeur Wiener, a pu parler des rythmes électroniques dans le cerveau et de l'émission électro-magnétique de l'organisme, constitué comme antenne.

L'organisme fait d'antennes, d'émissions électro-magnétiques, de rythmes électroniques, de cellules photo-électriques, tout cela nous montre bien que l'être humain est un appareil, une machine, qui n'est intelligente que de par l'Intelligence incluse dans l'Univers, l'Intelligence qui gouverne l'Univers et qui fait vibrer, qui fait fonctionner, qui fait réagir cette machine qu'est le cerveau, cette machine qu'est l'être humain lui-même. Nous ne devons pas nous faire d'illusions, nous sommes des machines. Et quand on emploie l'expression « l'homme réfléchissant », comme T. de Chardin lui-même l'a utilisée pour marquer un palier de l'évolution, pour donner la «fiche signalétique» de l'homo sapiens, cet animal qui commence à réfléchir, il n'est pas interdit de se rappeler des phénomènes astronomiques. Par exemple : la lune réfléchissant la lumière du soleil. D'où : l'homme réfléchissant l'intelligence extérieure. La réfléchissant bien ou la réfléchissant mal, mais (ce n'est pas un jeu de mots) l'homme réfléchit quand le cerveau réfléchit de la pensée.

L'intelligence humaine n'existe pas en soi. Nous pouvons, certes, nous poser des questions. Certainement, dans votre esprit, beaucoup de questions se posent à propos de l'intelligence... L'homme n'est-il donc pas intelligent par lui-même ? D'autres interrogations viennent à l'esprit au sujet de la liberté, de la responsabilité, de la prédestination, du déterminisme. Beaucoup de questions se présentent, et ne sont des problèmes que parce que nous sommes des êtres «finis». Nous sommes en bas, dans une certaine mesure, et pourtant, à tout instant, nous avons le pouvoir de remonter, de savoir d'où vient tout ce qui s'est fixé sur le sol, sur la terre, sur n'importe quelle terre dans l'Univers. Nous pouvons remonter à tout instant.

Par quels moyens ? Par la pensée, par la conscience, par la science.

À tout instant, nous pouvons, tout en vivant sur le plan où nous sommes, qui est un plan d'êtres limités, d'êtres déjà morts, à tout instant nous pouvons correspondre avec le plan majeur, avec le plan esentiel, avec LE PLAN DE LA VIE, alors que nous sommes sur le plan de l'existence. Je voudrais que soit claire en vous la différence entre l'existence et la vie.

Pourquoi tant d'êtres sont-ils soucieux, pourquoi tant d'êtres sont-ils plaintifs, pourquoi tant d'êtres se croient-ils malheureux, pourquoi tant d'êtres ne comprennent-ils pas la vie, sinon parce qu'ils restent sur le plan de l'existence, et que l'existence matérielle leur paraît fondamentalement injuste, mauvaise, absurde ou trop difficile.

Mais, dès l'instant où l'on a compris, où l'on a LA CLEF, tout est facile. Du reste, nous pouvons remarquer ce phénomène dans n'importe quel petit domaine de notre petite existence, à savoir que nous considérons une chose comme difficile dès l'instant que nous n'avons pas compris, soit sa cause, soit sa signification, soit son but. Que ce soit une action à faire, que ce soit un phénomène à résoudre, tout nous paraît difficile quand nous sommes ignorants de l'essentiel, du contexte. Dès que nous avons appris, tout est facile. Que ce soit même une connaissance, une connaissance linguistique, une connaissance universitaire, une connaissance quelconque, dès que nous avons compris, assimilé, soit parce qu'on nous l'a enseigné, soit parce que nous l'avons expérimenté, nous trouvons que c'est facile. Par conséquent, ce jeu, en apparence extrêmement compliqué, qui s'appelle la vie, doit devenir pour nous extrêmement simple. Tôt ou tard, il faut que la vie nous paraisse extrêmement lumineuse et facile. Et, à cet effet, il faut se situer sur le plan de la vraie vie.

Si nous vivons sur notre plan — alors que nous y sommes comme des aveugles — nous ne voyons pas ce qui, pourtant, est là, et, quoique invisible, veut se faire regarder avec les yeux de l'esprit. Or, il me semble que c'est l'essentiel : voir et savoir ce qui veut se faire voir et se faire connaître à nous, car la vie dont nous sommes imprégnés ne nous veut que du bien.

De toute évidence ou dans le secret, la vie est amour.

La vie est amour. Je le dis bien : malgré la douleur, malgré les maladies, malgré les souffrances, malgré les guerres, malgré le mal — du moins les «ombres» que nous appelons ainsi et qui apparaissent si souvent devant nos yeux — la vie est amour.

Mais il faut la voir avec les yeux de l'esprit et du cœur, et non pas avec les yeux du corps seulement. Il y a des fenêtres, heureusement, dans ce navire ballotté par les flots déchaînés de l'existence, il y a des hublots, il y a des ceintures de sauvetage. Et les principales sont : la sensibilité, la conscience, l'intelligence, la patience, la confiance, la foi.

Nous parlons souvent du corps et de l'esprit. Et l'âme ? L'âme, c'est notre marque de fabrique, en quelque sorte, c'est la faculté qui relie le corps à l'esprit. C'est le cordon ombilical qui nous relie à l'infini par le sentiment, par l'instinct, et qui, si nous ne le rompons pas, nous permet de nous consciencialiser chaque jour davantage. Or, précédemment, j'ai souligné le fait que l'être humain n'était rien par lui-même, qu'il n'était pas vraiment une personne. Alors, avons-nous une âme personnelle ?

Nous avons une âme de synthèse, qui n'est pas nôtre, qui est le lien, le cordon, qui nous relie à un Tout d'âmes, à une famille d'âmes qui a toujours existé.

En ce qui concerne les types d'âmes, les familles d'âmes, nous ne pouvons pas absolument prouver leur pérennité, mais nous pouvons la faire toucher du doigt. La psychologie moderne nous présente une lumière que l'homme ne possédait pas auparavant. Déjà, dans la psychologie du visage, dans la psychologie des lignes de la main, nous constatons qu'il y a des types d'êtres et que ces types peuvent se définir d'une manière assez précise. Mais nous constatons également que ces types d'êtres, ces âmes, ne sont pas simples, ils sont complexes, ils représentent une synthèse. Pour résumer, chacun de nous appartient à une famille d'âmes assez complexe mais assez facilement identifiable, et qui a toujours été.

Il est impossible de concevoir autrement, sauf par le canal de l'orgueil, comme si nous représentions un être absolument unique, irremplaçable, qui n'avait jamais existé avant nous. Ce serait de l'égocentrisme. Certaines doctrines sont nées précisément de l'égocentrisme, sans le savoir, d'ailleurs, et, en fait, d'aucuns ont prétendu que les âmes étaient vraiment personnelles. Or, les âmes, comme le reste, esprit, conscience, ne sont pas personnelles. Elles appartiennent à l'impersonnel.

Mais à un impersonnel qui a plusieurs familles, comme une maison a plusieurs pièces. Comme le cerveau a des milliards de cellules, l'Esprit divin a des milliards de familles, de familles de pensées, de sensations, de familles d'êtres ; il a des milliards et des milliards d'états d'âme, et chaque état a son sens, sa mission, sa raison d'être. Rien n'est inutile, rien n'est mauvais en soi. Tout est en état d'évolution. Tout ne peut se comprendre que si l'on est sur l'arbre de l'évolution. On ne peut pas comprendre, par exemple, le mal, d'en bas.

Pourquoi y a-t-il le mal ? C'est cela qui arrête tant d'êtres sur la voie de la sérénité, sur la voie de l'adoration, sur la voie de la connaissance de l'amour, sur la voie où nous voulons les amener, à savoir celle-ci : que tout est amour, tout, absolument.

Un amour en état d'évolution et d'expérience : le mal est de l'amour en train de se faire. Le mal est de l'amour en état d'élaboration et d'évolution. C'est du minerai, c'est encore excessivement lourd, sale, mais c'est en devenir, le métal, l'or, que l'on va en extraire. Et, dans le fond, tout est un. Il n'y a que Dieu, il n'y a qu'un seul Être, tout ce qui est ne représente que des cellules, des atomes, des molécules de l'Être. Mais ce Un est démultiplié à l'infini, et, si nous sommes assez conscencialisés, nous ramenons tout à l'unité. L'unité ne se trouve que sur ce plan, ce second plan, auquel je vous invite à adhérer, le plan où tout est Amour.

Si vous ne montez pas jusqu'à ce plan, vous êtes condamnés au plan inférieur, où vous ne voyez rien, où vous ne voyez pas la grande lumière et le grand espace infini.

À nos yeux, tout est contradictoire : le jour, la

nuit, la vie, la mort, l'homme, la femme, le bien, le mal, tout est deux. Constamment, nous trouvons la contradiction : un défaut, une qualité, la joie, la souffrance, une difficulté, une chance. Nous sommes constamment tiraillés, balancés. Et, parfois, nous arrivons à douter de l'unité. Si nous doutons de l'unité, c'est que nous restons sur le plan où il ne faut pas rester. La preuve qu'il ne faut pas y rester, c'est qu'on nous y a fait venir sans notre consentement et qu'on nous en expulsera sans notre consentement. Nous en sortirons, de ce plan de l'existence, que nous le voulions ou non. Alors, sortons-en de notre plein gré, avec notre conscience, et avec toute notre capacité de réceptivité, d'amour, notre faculté de recevoir de l'amour.

Car le monde est plein d'amour, il faut le voir, le percevoir et le recevoir. D'ailleurs, nous ne recevons que pour redonner, pour redistribuer. Sur le plan de l'existence que nous connaissons, et auquel beaucoup d'êtres restent attachés uniquement, nous constatons que ceux qui acceptent de recevoir seulement, sans redonner, ne sont pas heureux. Parce qu'on ne doit recevoir que pour redonner. Et, en vérité, on ne peut donner que ce que l'on a reçu.

Tous les êtres ne savent pas aimer, tous les êtres ne savent pas donner, mais tous les êtres ont besoin d'être aimés. Même la brute qui hait, qui tue, est une personne qui a besoin d'amour. Même un être plein de violence, un être plein de sectarisme, qui agit pour détruire — la psychalyse

160

nous l'a démontré — n'est qu'un être qui est malade d'amour, qui a soif d'amour.

Nous sommes confrontés avec l'idée de l'unité dans la dualité, que représentent même d'abord ceux qui nous ont mis au monde. Notre père, notre mère, deux êtres séparés, se sont réunis pour donner naissance à un être qui est ce que nous appelons «nous», un, «une personne».

Dans la merveilleuse arithmétique de l'amour, un plus un égale un. Deux êtres retrouvent le centre de leur être profond par leur réunion. Ce calcul peut se faire dans un autre sens : un plus un donne un autre, à savoir l'enfant : $1 + 1 = 3$. Et là nous entrons dans la complexité des sexes, qui n'est pas autre chose que cette fameuse dualité que nous avons aperçue au passage. À quoi cela nous conduit-il comme compréhension, comme réalisation, sinon à la conviction que nous ne sommes pas complets par nous-mêmes ? Nous avons besoin, constamment, d'être complétés. C'est pourquoi, même sur le plan le plus imparfait possible, le plan de l'existence, nous sommes deux pour que ce deux se dissolve dans l'union véritable, dans l'union d'amour véritable et non dans une union passagère et purement physique. Il s'agit d'une union à laquelle participe l'âme, que nous avons reçue comme un don et qui n'est pas de nous. C'est par l'âme que nous arrivons à comprendre le sens des émotions du corps, et que nous parvenons à communiquer à notre conscience ce besoin prodigieux de connaître la vérité et la vie.

Un effort doit être fait pour passer d'un plan à

un autre plan, si nous voulons vraiment vivre et participer de la vie totale. Mais cet effort de dépassement de conscience, c'est un effort de recentration. Quand nous sommes venus à l'existence humaine et physique, nous sommes sortis du monde infini, nous sommes venus d'un centre unique. Nous nous sommes, en existant, constitué d'autres centres, artificiels, qui sont autant de prisons dans lesquelles nous nous enfermons. Un exemple : le centre amour-égoïste. Deux êtres croient s'aimer, mais se bornent à s'aimer eux, constituant un monde fermé dont le centre est « eux ». Ce petit monde de l'égoïsme amoureux a un centre : le moi.

Prenons un autre cercle : la famille. L'amour de la famille, s'il est ramené à lui-même, à ses petites dimensions, est un cercle aussi définitivement fermé, d'où il est impossible de sortir. Là est l'égoïsme familial, avec un centre : les membres de la famille qui s'aiment, ou croient s'aimer (les différents « moi » séparés ou plus ou moins unis).

Un autre centre : l'ambition, la situation, le bien-être, le gagne-pain — voilà un centre auquel restent fixés d'innombrables êtres. Pour les uns, le centre, c'est la santé : rester en bonne santé. Pour les autres, le centre, c'est l'argent. Et tant de faux centres peuvent être imaginés !

Chez l'être le plus conscient, le centre, c'est l'âme collective de l'humanité, c'est Dieu, et quand on sait qu'on appartient à l'âme de l'humanité, et qu'on veut en être un membre conscient et de plus en plus responsable, de plus en plus aidant et serviteur, alors le centre est l'humanité dans un cercle très élargi. Puis, il y a le grand espace infini, dont le centre est partout et nulle part, et, là, on commence à être dans la vérité vivante.

Mais ce n'est pas tout. Si nous prétendons nous augmenter en vivant, en réalisant par l'esprit la vie de l'infini, nous ne sommes pas encore arrivés, car l'essentiel est l'esprit de l'infini, c'est la volonté de cet Être unique dont nous faisons partie. C'est donc pour nous détruire et nous abolir dans cet Être que nous devons nous brancher sur le vrai centre. Or, imaginez combien il y a de prisonniers sur la terre, combien d'êtres sont prisonniers de leur cercle et du centre qu'ils regardent à l'intérieur de ce cercle ou sur la circonférence, alors que les attend le centre-source du grand Tout, du sublime Amour créateur.

Le véritable centre est donc ailleurs, hors de nous. Il s'agit de briser les cercles artificiels, façonnés par l'ignorance, qui sont partout, sauf où ils devraient être, et de regarder le véritable centre, qui est précisément extérieur à tous les autres centres particuliers et artificiels. Si nous voulons vraiment vivre et sortir de ce plan limité, ils nous faut nous recentrer par rapport à l'essentiel, sortir de la nuit pour aller au centre de la lumière.

SYNTHÈSE ÉVOLUTIVE

Continuons à chercher à comprendre, à approfondir. Nous sommes ici pour tâcher de comprendre, et de comprendre le Tout, car nous vivons actuellement sur une parcelle seulement de la vie, nous vivons sur une parcelle de la vérité, parcelles que nous prenons pour le Tout.

Or, nous venons, au cours des chapitres précédents, d'explorer ce Tout dans le temps et dans l'espace. Nous avons vu que, dans l'espace, l'homme est une chose infiniment petite. Dans cet espace grandiose, qui est composé de galaxies, cet espace véritablement infini, l'homme ne représente qu'une infime particule, et ce que l'on appelait Dieu comme « être distinct » nous est apparu comme le seul Être qui soit, dont le corps est cet infini et dont l'âme et la pensée traversent toutes les œuvres incarnées.

Parmi ces œuvres incarnées, il y a ce que l'on appelle l'homme. Il ne faut jamais oublier ce contexte d'espace et de temps, contexte d'espace, de galaxies infinies, dans lequel se trouve la Terre.

Je ne voudrais pas répéter tout ce que nous avons dit et tout ce que nous avons découvert, mais apporter des conclusions qui découlent de tout ce que nous avons déjà appris, et qui seront à approfondir les unes après les autres. Voici l'essentiel de ces conclusions :

L'homme est le seul être qui puisse savoir à quel ensemble il appartient. Ce que l'on appelle l'homme est donc la conscience et le témoin de tout ce qui vit. L'homme est une partie infime du tout, mais, par le fait qu'il est capable de penser le tout et d'être la conscience de la vie, il est grand. Sa seule grandeur est de témoigner, de rendre compte, de la totalité, de savoir de quoi il est membre et sujet.

L'homme pense, mais la pensée n'est pas l'apanage de l'homme. Des expériences très nombreuses ont été faites sur des animaux, d'où il découle que les animaux ont une pensée, avec des niveaux différents, mais chez l'homme également, il y a des niveaux de pensée et de conscience très différents.

Certes, l'animal peut penser, mais il ne peut pas penser aussi loin que l'homme, car la pensée de l'animal s'arrête où la pensée de l'homme accompli commence. Il y a des hommes qui ne pensent pas plus loin que l'animal, mais l'homme accompli et intégré peut penser son intégration au tout. L'homme accompli n'est pas plus grand que l'homme à la pensée éteinte ; il est simplement plus éclairé, et il réalise qu'il fait partie d'un tout auquel il est intégré. Cet homme accompli, qui pense plus loin que l'animal, ne s'ennorgueillit pas de ses pensées pouvant aller à l'infini, car il sait que la pensée, comme la conscience, n'est qu'un dérivé, qu'un produit de la pensée et de la conscience du seul Être qui soit, l'être qui peuple l'infini, dont le corps est l'infini. Lui seul émet la pensée, lui seul émet la conscience. L'homme reçoit, mais n'émet pas la pensée, la conscience, la science, l'art, etc.

Dans notre petite perspective, dans notre faible optique, nous avons tendance à imaginer que la pensée progresse avec l'âge des êtres, que l'art ne peut aller qu'en progressant lui aussi. On a de la peine à imaginer que des êtres vivants il y a 40.000 ans aient pu être le réceptacle d'inspirations de beauté se manifestant sous des formes d'art absolument magnifiques. Nous avons aussi d'autres preuves et quelques témoignages incomplets, mais assez frappants et boulversants, d'après lesquels nous pouvons conclure qu'il existait, il y a de très nombreuses années, des civilisations plus avancées que les nôtres, sur les plans scientifique et technique.

Donc, tout ce que l'homme, notamment l'homme de science, pense, a existé de tout temps. À cet égard, on peut dire que le cerveau de l'homme est un merveilleux appareil enregistreur composé de 14 milliards de cellules photo-électriques (ou transistors), qui enregistrent tout ce qu'elles captent. Mais toutes les cellules ne sont pas en état de fonctionnement chez tous les êtres, et pourtant ces milliards de cellules existent dans un être non évolué aussi bien que dans un être évolué.

On sait que l'homme est fait de métaux, les

mêmes que ceux existants dans l'Univers, de cellules, de terre, d'eau, et aussi, ne l'oublions pas, de pensée et d'amour, du moins d'une certaine capacité de pensée et d'amour. L'homme est un écho de l'infini, de la vie totale dont nous n'apercevons qu'une très faible partie. Mais, précisément, il nous est demandé de faire un effort de mémoire pour nous rappeler que nous faisons partie d'une totalité. Car, nous avons tendance à ne vivre que la vie matérielle, la vie quotidienne, la vie au jour le jour, la vie terre-à-terre qui est devant nous. Nous sommes confrontés avec les exigences de cette vie matérielle, et nous devons la vivre. Seulement, il a été donné à certains une mémoire supérieure, que j'appellerai la mémoire spirituelle, la mémoire de Dieu, la mémoire du tout, la mémoire de l'infini, qui peut leur permettre de sortir mentalement et spirituellement, de temps à autre, du plan matériel où ils sont. Il faut, à la fois, y être et en sortir, pour être accompli, pour être vraiment intégré, pour être complètement vivant. Il nous faut vivre sur deux plans à la fois ; il est impossible d'être, de vivre, de connaître la plénitude si l'on ne sait pas vivre sur deux plans à la fois.

Or, c'est très difficile. Nous devons le reconnaître, mais au difficile l'homme est tenu, car il est le témoin de Dieu, de l'esprit et de la Présence. Il est son serviteur, il est sa cellule, la cellule du tout, de l'Être unique, et cette cellule doit fonctionner en parfait état. Or, nous sommes aussi des animaux, et nous avons une individualité plus ou moins pesante, plus ou moins épaisse, une partie de matière de minerai, plus ou moins lourde.

Cette individualité, qui est vraiment propre à chacun de nous, s'appelle d'un terme étrange : idiosyncrasie. À savoir sa façon propre de concevoir les choses, son caractère, son genre d'émotivité, son genre de réaction devant les circonstances, devant les êtres. Cela nous explique un grand nombre de complexes, la timidité, par exemple. Cela est du domaine de la psychologie. Ce qui fait que chaque être humain est différent de l'autre. Et c'est à cause de cette idiosyncrasie que nous avons l'impression d'être des personnes. C'est cela qui a provoqué des malentendus prodigieux. C'est donc de cette incertitude que profitent bien des idéologies et des religions, car elles peuvent, par ce biais de l'existence, de l'individualité, de l'idiosyncrasie, faire croire à l'être qu'il est le produit d'une faute, car il est imparfait et divisé sur lui-même, et rares sont ses facteurs d'unité. Il a toutefois des possibilités de retrouver l'unité. Nous le verrons tout à l'heure.

La connaissance de l'idiosyncrasie, ou individualité propre, nous amène à faire quelques constatations :

D'abord, pour prouver cette individualité, qui n'est que provisoire et illusoire, il y a les empreintes digitales qui ont montré, par comparaison, qu'aucun être ne ressemble à un autre, mais je dois dire que l'on commence à faire une constatation troublante à cet égard (on ne peut toutefois pas s'y arrêter, vu que l'on n'a pas suffisamment de données pour pouvoir considérer cela comme absolument scientifique) : des indices existent d'après lesquels des empreintes digitales se seraient trouvées ressembler à des empreintes d'êtres ayant déjà vécu sur la terre. Passons sur ce fait que je tenais à signaler.

Nous sommes donc bien des êtres particuliers. Cet être particulier semble se retrouver à travers les siècles. Nous sommes nous et nous ne sommes pas nous. Comment peut-on imaginer que l'âme d'un Léonard de Vinci, que l'esprit d'un Léonard de Vinci puissent mourir ? Comment peut-on imaginer que l'âme et l'esprit d'un Platon aient pu disparaître ? Ils n'ont pu que se transvaser. Et il en est de même des petits esprits, qui se transvasent de mort en mort. La mort n'est pas ce que nous croyons. La vie non plus n'est pas ce que nous croyons. L'individu ne se faisant pas lui-même, il ne saurait être unique, incomparable à travers les siècles. L'idiosyncrasie, c'est notre illusion, notre carapace, c'est notre apparence, mais notre vérité est ailleurs. Comme la réalité de la vie est ailleurs et en marge de sa réalité apparente.

Cette idiosyncrasie, c'est ce que nous appelons notre moi, mais notre moi n'est pas en nous, ce n'est pas un moi autonome et indépendant. Car l'homme n'« est » pas par lui-même. Disons donc que ce qui produit l'illusion d'être nous, c'est une espèce d'enveloppe, de vase, de paroi, de peau, et pas seulement une peau physique, retenant quelque chose qui ne demande qu'à sortir. Si vous faites tomber cette peau, vous découvrirez la réalité, vous finirez par voir que cette peau du moi tend à vous cacher. Par conséquent, plus vous vivez en vous-même, moins vous voyez la grande réalité. Plus vous vivez pour votre moi — sur ce plan terrestre et quotidien — moins vous vivez sur l'autre plan. Vous croyez vivre, tous les êtres croient vivre, tous les êtres existants le croient.

Nous pourrions nous comparer, dans notre recherche de la vérité profonde, à des ballons chargés de recherche, comme, par exemple, ceux qu'employait le professeur Piccard. Plus on lâche du lest, plus on jette par-dessus bord les sacs de sable des idiosyncrasie, et plus le vaisseau s'élève. Il faut donc que nous fassions un effort pour sortir de notre moi parfaitement illusoire et provisoire.

Le principal des efforts, c'est simplement de reconnaître que nous sommes provisoires, que nous sommes mortels. Nous ne voulons pas en convenir. Si nous réalisons que nous sommes « provisoires » — dans cet état d'êtres humains où nous sommes — bien des choses nous apparaîtraient comme faciles, ou fausses. Bien des choses nous apparaîtraient comme relatives et non plus comme absolues. Voilà l'essentiel : c'est de réaliser que nous sommes provisoirement « nous-mêmes », mais pas essentiellement, car, avant de naître, nous étions, mais autres, dans la famille des âmes et des esprits aux types immuables.

Il y a deux plans, ne l'oublions pas, et, même sur notre plan, le plan terrestre, il y a une hiérarchie. Nous venons de nos parents, nos parents viennent de leurs parents, et ainsi de suite. Et si nous cherchons l'origine, nous trouvons un certain nombre d'années. Nous avions cru pouvoir constater, d'après ce que la science nous avait apporté jusqu'à maintenant que l'homme était âgé d'un million d'années. Des découvertes ont été faites, il y a deux ans, d'après lesquelles l'homme aurait l'âge de 1.700.000 années. Il a été signalé, par l'anthropologue Leakey, qu'au Kenya ont été découverts les restes d'une créature vieille de 14 millions d'années, dont les caractéristiques constituent un chaînon important de l'évolution du primate à l'homme moderne. Ce n'est pas un singe. Il n'est pas non plus une nouvelle classe de primate de l'époque moderne. Sa découverte comble une lacune de grande importance sur l'évolution de l'homme, car la science en sait moins sur l'évolution de l'homme que sur celle du cheval ou du rhinocéros. Cet animal-homme n'était pas tout à fait homme, mais pas tout à fait singe. Cette créature, qui vivait il y a 14 millions d'années, se situera entre l'homme du Tanganyka, découvert en 1959, qui était vieux de 1.700.000 années, et le singe appelé « proconsul », qui vivait il y a 25 millions d'années.

Nous pouvons donc dire que l'homme actuel serait âgé d'environ dix millions d'années, et non pas d'un million. C'est la preuve que nous ne sommes qu'un produit, qu'une résultante et que, par conséquent, nous représentons un effort qui dure, nous sommes l'aboutissement d'un effort qui n'est pas terminé. Il n'a jamais cessé de s'accomplir, et l'homme n'est pas encore le dernier mot de cet effort. Car bien des indices nous permettent d'affirmer que, sur d'autres planètes, sur d'autres terres, il y a des hommes bien plus âgés, bien plus mûrs, bien plus évolués que nous. Et que cette terre où nous sommes, qui est simplement un des aspects de l'infini, est seulement un des moments de l'évolution ; le dernier mot de l'évolution n'est pas dit, n'est jamais dit. L'homme, tel que nous le concevons actuellement, n'est qu'une étape de l'évolution.

Un savant, le Dr Lilly, a fait des expériences extraordinaires. Dans un livre intitulé « L'homme et le dauphin », qui a paru chez l'éditeur américain Doubleday, le Dr Lilly apporte des précisions stupéfiantes :

S'élevant au-dessus des simples problèmes biologiques, il pose avec clarté et avec rigueur scientifique tous les problèmes de l'existence d'intelligences supérieures à celle de l'homme. Le Dr Lilly établit une série de niveaux d'intelligences :

— 1er niveau : bactéries et animaux unicellulaires ;
— 2e niveau : les invertébrés ;
— 3e niveau : les oiseaux, les reptiles, les poissons ;
— 4e niveau : les mammifères ;
— 5e niveau : les mammifères spécialement intelligents, ourang-outans, chimpanzés, gorilles ;
— 6e niveau : le niveau presque humain, celui des humanoïdes préhistoriques ;
— 7e niveau : l'intelligence des premiers hommes ;
— 8e niveau : (ou « iso humain »), le niveau de l'homme civilisé ;
— 9e niveau : niveau surhumain.

Une science de ce niveau est à créer.

Lilly fait observer, très justement que, jusqu'à présent, les religions et la science-fiction ont eu le monopole des études concernant ce niveau, mais qu'il n'est pas exclu que des êtres supérieurs vivent parmi nous. « Il est possible, écrit-il, qu'il existe des modes de rencontres avec les êtres supérieurs dont les milieux scientifiques ne veulent pas entendre parler. De telles expériences peuvent être si profondément étrangères aux méthodes présentes de la science qu'elles ne peuvent pas être étudiées pour le moment. »

Des essais scientifiques lui ont permis de montrer que les dauphins possèdent un langage complexe, qu'ils sont remarquablement intelligents et qu'ils peuvent comprendre et imiter le langage humain. Leur cerveau pèse 1.700 grammes contre 1.450 pour le cerveau humain, et il paraît être plus finement strié, mieux organisé. Leurs organes des sens sont meilleurs que les nôtres. Ils entendent les sons et les ultra-sons au-delà de 102.000 hertz, alors que l'oreille humaine s'arrête vers 20.000 hertz. Le langage des dauphins est beaucoup plus subtil que le langage humain. Il est même plus subtil que la musique humaine.

Le Dr Lilly se dit persuadé que si l'on parvient à apprendre aux dauphins notre langage, et si nous parvenons à comprendre le leur, nous pourrons converser un jour avec des êtres venus d'une autre planète. Il écrit même ceci :

« Avant vingt ans, l'espèce humaine aura pris contact avec une autre espèce, non humaine, étrangère, extraterrestre, peut-être, mais en tout cas intelligente. Nous allons rencontrer des idées de philosophie des fins et des moyens qui n'ont jamais été conçues jusqu'à présent par l'esprit humain. »

Aussi, il ne faut pas s'étonner que le Dr Lilly ait été consulté par l'administration américaine pour l'astronautique, la N.A.S.A., et invité à participer à un colloque destiné à étudier les moyens de communiquer avec des humanités d'autres mondes.

De même, nous ne devons pas croire que notre technique et notre soi-disant civilisation sont inédites à ce jour. Le physicien russe Alexandre Kazantsev a réalisé un documentaire cinématographique autour de cette hypothèse : des visiteurs d'un autre monde ont déjà visité la Terre à diverses époques de son histoire ou de sa préhistoire. Il a promené ses caméras à travers le monde, et plus particulièrement au Sahara, au Liban et au Pérou. Au Sahara, l'équipe de Kazantsev a filmé des peintures rupestres, dont l'une représente un être de 6 mètres de haut ressemblant de façon frappante à un astronaute casqué. Les cinéastes sont aussi allés filmer les terrasses de Baalbek, au Liban, formées de pierres pesant chacune 2 000 tonnes. Pourquoi, demande le Pr Agrest en 1960, la destruction de Sodome et Gomorrhe rappelle-t-elle de façon hallucinante les descriptions de la destruction de Hiroshima ? Les cinéastes ont filmé enfin la Porte du Soleil, au bord du Lac Titicaca, laquelle porte est ornée d'une frise qui constitue un étrange calendrier de 290 jours, qu'on suppose être un calendrier vénusien... Ceci sur un monument qui date de 15 000 ans environ...

D'un côté, on le voit, l'expansion dans le passé. De l'autre, l'expansion dans l'avenir.

Résumons tout ceci.

Nous sommes mortels, mais nous savons que la vie est éternelle.

Nous savons que la pensée est éternelle et nous savons que l'amour est éternel. Nous nous trouvons en présence de beaucoup de phénomènes, parmi lesquels il y a la mort, les niveaux d'intelligence, de civilisation, d'évolution, dont je viens de vous donner quelques aperçus. Au centre de tous les phénomènes, il y a l'amour. En effet, nous constatons entre les êtres ce qui se constate entre les corps planétaires dans l'infini, c'est-à-dire le phénomène de l'attraction. Le système solaire se présente comme une famille véritablement unie. Puis, les systèmes tournent autour d'autres systèmes, qui sont des familles de systèmes solaires. Si nous revenons sur terre, nous voyons le même phénomène d'attraction et d'affinité entre les êtres.

Si quelqu'un nous est antipathique, il est sympathique à quelqu'un d'autre. Si quelqu'un nous est sympathique, il est antipathique à quelqu'un d'autre. Si nous n'aimons pas certains êtres, ceux-ci sont aimés par d'autres. De même, pour le phénomène de l'amour-couple. Un être, aussi laid soit-il, aussi défiguré, aussi affreux, aussi difforme soit-il, trouvera, tôt ou tard, quelqu'un pour l'aimer. C'est un phénomène devant lequel nous devons nous incliner.

Nous ne voudrions rien faire pour tel être, mais

pourtant cet être est adoré par quelqu'un d'autre. Là encore, nous ne devons, pas plus que devant le mal, prétendre juger. Devant des faits cruels, devant des faits épouvantables, notre raison raisonnante juge, et juge comme indigne, comme inadmissible, un certain nombre de choses, dont la violence, la haine, les guerres. Ne jugeons pas à notre échelle. Trop d'éléments nous échappent.

Il en est de même de l'amour. Nous n'avons pas le droit de dire : pourquoi telle femme aime tel homme, pourquoi tel homme s'est-il marié avec telle femme ? Nous pouvons essayer de comprendre, et la principale sagesse, c'est encore de ne pas chercher à comprendre, mais de s'incliner devant ce phénomène extraordinaire qu'est l'amour. Puisqu'il y a attraction, c'est qu'il y a dualité : donc deux êtres ont toujours tendance à s'associer, à s'aimer. Qui nous dit qu'il n'y a pas un étrange amour entre le bien et le mal ? Cette recherche effrénée de l'unité qui touche toutes les espèces vivantes, même si elle revêt la forme de la lutte, est au cœur de la vérité.

C'est la grande recherche de l'unité par la fusion des contraires. Il se crée un troisième état qui est une synthèse des deux soi-disant opposés. Si ce phénomène de l'amour est si important qu'on le trouve à la base de tout ce qui est, soit ici, soit ailleurs, c'est qu'il représente pour nous un message et une réalité. Car nous n'aimons pas assez ; aimer, c'est donner, pour rendre ce que l'on a reçu. C'est donner sans s'occuper de recevoir. Il ne s'agit pas de rechercher l'amour avec désir, mais avec amour, c'est-à-dire pour avoir quelque chose, quelqu'un, à aimer. Et on ne peut pas abstraire un amour d'un autre. Il y a plusieurs espèces d'amours : il y a l'amour-tendresse, l'amour spirituel, l'amour sexuel, l'amour-amitié. Ce dernier existe même entre hommes. On demandait à Montaigne pourquoi il aimait tel ami. Il répondit : « Je l'aime parce que c'est lui... »

Parmi les amours, il y a l'amour sexuel. Autant nous nous inclinons devant cette merveille qu'est le cerveau humain, autant nous devrions nous incliner devant l'importance extraordinaire du sexe. Il existe, dans la nature, des éléments mâles et des éléments femelles. Pourquoi les éléments mâles et femelles chez l'être humain ne seraient-ils pas considérés à leur juste valeur ? Pourquoi cette condamnation portée, par un certain nombre de religions, sur le sexe à travers lequel nous sommes venus ? C'est par un amour, entre autres sexuel, que nous avons fait notre entrée dans le monde. Or, comme nous savons que tout ce qui est ici est comme ce qui est ailleurs, nous devons nous demander quels prolongements peuvent avoir la vie sexuelle et l'amour sexuel dans l'infini. L'importance de la vie sexuelle pour l'homme est déjà profonde par l'interaction des hormones sexuelles et du cerveau. Même les êtres qui ne pratiquent pas l'amour physique ont en eux des hormones qui circulent dans la partie sexuelle du cerveau, et traversent ainsi le corps entier. Mais si, en plus, il y a activité sexuelle entre un homme et une femme, il se produit, dans le cerveau une espèce d'éclair de magnésium, comme dans la photographie. L'exaltation peut être illumination, enrichissement général.

D'autre part, il est facile de se tourner vers l'Histoire et de voir que tous les grands hommes n'ont pas renié l'activité sexuelle, qu'ils ont, au contraire, reconnu la part que l'amour sexuel, entre autres, a prise dans leur vie et dans leur inspiration. Tous les grands artistes, tous les grands penseurs sont de grands sexuels. Pourquoi le nier, pourquoi le condamner, puisque c'est un des éléments de la loi cosmique ?

Mais on a très souvent sali l'amour, parce qu'on a voulu qu'il apparaisse comme sale. Or, la sexualité est un levier puissant, et non pas seulement intellectuel. C'est si vrai que les prêtres, qui ont fait vœu de célibat, vous parlent de l'importance de l'acte sexuel, alors qu'ils ne devraient rien en connaître. C'est encore pourquoi un grand esprit, Teilhard de Chardin, disait au sujet du sens sexuel :

> « Toute explication qui n'aboutirait pas à trouver dans l'édifice de l'humanité une place essentielle au sens sexuel, par construction, est virtuellement condamnée.

> « L'union renforce en les englobant les personnalités de ceux qui s'aiment. »

D'autre part, dans « Construire la Terre » Teilhard de Chardin associe l'amour, y compris l'amour sexuel, à l'énergie la plus puissante qui soit. On ne peut séparer un amour d'un autre. Qui veut faire l'ange fait la bête. L'homme n'est pas un esprit, mais ce n'est pas qu'un corps non plus. Alors, pourquoi condamner l'amour sexuel au nom d'une conception qui voudrait faire de l'homme uniquement un corps? On ne doit pas le condamner, pas plus qu'on ne doit condamner l'esprit et l'âme. Au contraire, il y a une importance exceptionnelle, et, même en dehors de la sexualité, il y a entre l'homme et la femme une divine collaboration. Il y a des amours parfaitement désintéressés, des amours asexuels, de même qu'il y a des amours qui ont une projection sexuelle. Nous ne devons pas condamner ceux qui en sont au stade de l'amour sexuel seulement.

Nous devons nous élever au-dessus de ce stade, mais nous ne devons pas condamner, ni jeter la pierre. Il en est qui n'ont connaissance de la magie de l'invisible, de la spiritualité, que par quelques secondes de l'extase sexuelle ; ceux-là bénéficient donc de l'immense énergie cosmique. Tout nous rappelle l'interdépendance des deux plans sur lesquels nous devons vivre : le plan terrestre pour le moi, le plan spirituel invisible pour notre entité supérieure.

Je voudrais dire, comme je l'ai dit de la pensée, à quel point l'art n'est qu'une projection de Dieu, comme nous sommes nous-mêmes des projections de l'Être suprême. À quel point tout est fait, tout est créé d'avance. Rien ne s'invente et il n'est donc pas surprenant de constater, d'après cette photographie, que la grande rosace de Notre-Dame de Paris était préfigurée dans une plante marine.

C'est pourquoi, dans des œuvres qui datent de 7 à 8 mille ans, et qui ont été découvertes au Mexique, on trouve des traces de l'art cubiste de

Picasso. Tout ce qui est, était déjà fait, créé, et de temps en temps des êtres humains reçoivent des réminiscences et des prémonitions. Donc, pré-existence à tous les points de vue. Existence de tout ce qui n'est pas encore vécu par nous, mais qui est déjà fixé.

Nous ne faisons que répéter, nous ne faisons que reproduire ce qui était déjà. Nous ne faisons, d'une manière inconsciente, que nous rappeler des choses qui sont, soit en avant, soit en arrière.

Le sens le plus oublié, c'est le sens de Dieu, c'est-à-dire le sens de l'existence d'un seul Être. C'est ce que j'appellerai le sens de l'amour de Dieu — à ne pas confondre avec le sens religieux, car le sens religieux, tel qu'on le conçoit d'habi-tude, c'est une espèce de dialogue entre l'homme et Dieu ; or, il n'y a pas de dialogue à établir entre l'homme et Dieu, il y a simplement un état de mémorisation à opérer. Se rappeler qu'on n'est pas soi, se rappeler qu'on est des cellules vivan-tes, plus ou moins conscientes, d'un seul Être. Un seul Être existe, et nous en sommes les cellules. Mais il y a des gens qui ne sont pas conscients de cette parenté totale. Il est préférable d'en être conscient. Tout ceux qui n'en sont pas conscients bénéficient malgré eux de cette liaison étroite, de cette consubstantialité entre Dieu et l'homme. Dieu n'est pas séparé de l'homme. L'homme ne peut parler à Dieu comme à une créature séparée. Il est en Dieu et Dieu est en l'homme.

Qui empêcherait qu'en ce moment, en cet instant même, d'autres hommes, soit sur cette terre, soit sur d'autres terres, soient en train de dire exactement la même chose, soient en train de se rappeler Dieu, de penser Dieu de la même manière que nous essayons de le faire ? Il n'y aurait là rien d'étonnant, car tout est interdépendant.

Je voudrais aussi parler de la beauté, comme j'ai parlé de l'art, comme j'ai parlé de l'amour.

Pourquoi est-on ému devant un être, devant un élément de la nature, et pourquoi dit-on : « c'est beau ! » Pourquoi est-on bouleversé, pourquoi se sent-on écrasé devant ce que l'on appelle la beauté ? Quel est le critère de la beauté ? Il n'y en a pas, car ce qui peut ne pas me paraître beau, peut paraître beau à quelqu'un d'autre. C'est donc un acte d'amour. Reconnaître une chose belle, c'est l'aimer, c'est prendre possession d'elle, c'est reconnaître en elle quelque chose de supérieur à soi. On l'aime, on s'incline, on s'oublie en elle. Il n'y a donc pas de critère universel de la beauté. Or, le sens de la beauté existe chez tous les êtres, même les moins évolués.

Qu'est-ce, sinon un reflet, un écho de l'universelle grandeur ? Quand on dit : « c'est beau », on sous-entend : « c'est grand ». Et combien de fois n'est-on pas ému d'une manière absolument incompréhensible, indéfinissable ! C'est qu'il y a derrière les choses et les êtres une universalité, une essence, un infini, dont ils ne peuvent nous donner qu'un reflet ; mais ce reflet suffit pour faire l'union avec eux. Il y a là un grand amour — il faudrait écrire une métaphysique de la beauté et une science de l'Amour — à tel point que même des gens qui font profession de proscrire l'amour, l'amour humain, l'amour sexuel, ne peuvent s'empêcher de reconnaître la beauté physique. Des prêtres sont capables de reconnaître, et même hautement et publiquement, la beauté d'une femme ; or, d'après leur logique religieuse, ecclésiastique, ceci devrait être une hérésie. C'est donc qu'au-delà de la femme, au-delà des formes de la beauté, il y a une grandeur qui n'a absolument rien à voir avec la condition humaine. Pourquoi sommes-nous bouleversés par une lecture, par une œuvre, alors qu'un autre ne le sera pas ? Il y a plusieurs degrés de beauté, comme il y a plusieurs degrés d'intelligence, de spiritualité, d'amour, de conscience.

Que ce soit l'artiste, que ce soit l'être qui porte la beauté d'une manière quelconque, ce ne sont que des personnes interposées, ce ne sont pas eux les auteurs de leur beauté, de leurs pensées, de leurs œuvres. Voilà ce que nous devrions sans cesse nous rappeler. Il y a toujours et partout Dieu, le Grand Instigateur, le Moteur, la Source, la Clef — le seul véritable Auteur, le SEUL ÊTRE EN VÉRITÉ.

ÉQUILIBRE UNIVERSEL

Tout est remarquablement organisé et équilibré dans l'univers, et c'est à partir de cette constatation que tout le reste s'édifie, que toute notre conception de l'homme peut se bâtir, et se bâtir solidement, car si l'on ne sait pas que tout est remarquablement organisé et équilibré, on ne peut pas comprendre sur quoi repose la vie de l'homme. Celle-ci, nous le répétons, n'est pas séparée, disjointe, de la vie du reste de l'univers. C'est-à-dire que nous faisons partie de la vie et, si nous savons de quoi est faite la vie et sur quoi elle repose, nous savons de quoi est fait l'homme et sur quoi il repose. Il faut ne jamais perdre de vue que l'homme n'est qu'un écho, un reflet de l'immensité dirigée par un seul Esprit. Donc, nos vies elles-mêmes sont totalement, indiscutablement dirigées. Si l'univers n'est pas le fruit du hasard, si l'univers ne repose pas sur le hasard, la vie de l'homme n'est pas l'effet du hasard, Or, qui dit hasard, dit essentiellement imprévu, inorganisation, liberté, possibilité de modification, de bouleversement d'un ordre. S'il y avait hasard, il y aurait liberté ; s'il y avait liberté, il y aurait désordre, anarchie. Si l'homme était libre, il serait imbriqué dans un phénomène de hasard et, par conséquent, il pourrait, par l'effet de sa liberté, modifier l'équilibre même de l'univers. Nous pouvons aujourd'hui utiliser un exemple frappant. Les hommes ne pourraient pas — sans interférence d'une loi suprême — mettre la planète à feu et à sang par une guerre atomique, au point même de la faire exploser et de supprimer l'espèce humaine. Nous savons qu'ils peuvent le faire, mais ils ne pourraient pas le faire librement. Voilà la constatation capitale : si l'homme était vraiment libre et pouvait faire exploser la planète, et il le peut maintenant grâce aux découvertes dites atomiques, il pourrait mettre en cause l'équilibre du système solaire et, par conséquent, quelque peu l'équilibre d'autres systèmes. Or, d'autres planètes ont éclaté fort vraisemblablement déjà, et si la nôtre devait disparaître, ce ne pourrait survenir que par soumission à une loi. L'homme ne peut pas de lui-même modifier l'équilibre de l'univers.

La vie est soumise à une loi. Tout ce qui est vivant l'est. Or, tout est vie. Donc, tout est LOI. Une loi implique une discipline à quoi rien n'échappe, UN ORDRE. Le libre-arbitre a-t-il sa place dans un ensemble de LOIS qui constitue l'équilibre universel ?

Puisque la vie est avant tout une loi irréversible, comment la vie pourrait-elle permettre qu'un de ses éléments — planète ou homme — enfreigne la

LOI FONDAMENTALE, c'est-à-dire permettre le désordre et donc sa propre dissociation ? C'est impensable.

Le libre-arbitre, ce serait le hasard, Or, le hasard est l'antidote de l'ORDRE, donc de la loi de la vie, donc de la vie, humaine ou cosmique. Nous ne saurions avoir que la liberté de notre déterminisme, c'est-à-dire celle de chercher et de trouver ce qui pour chacun de nous est préétabli, déterminé à la naissance.

Donc, quand il y a dissociation, «mal», soi-disant «liberté», ou cataclysmes, désintégration atomique, guerres, éventuellement engloutissement de continents et explosion de la planète, ce n'est qu'une résultante des effets et volontés d'application de la LOI D'ÉQUILIBRE UNIVERSEL, qu'un dérangement en vue d'un arrangement, tout comme les mouvements discordants — apparemment — d'un dormeur dans son lit.

L'hiver ne fait-il pas partie de cet ORDRE universel ? Eh bien, le rôle de la souffrance, de la douleur, du mal, dans les espèces animales et humaines est le même que celui de l'hiver et de l'automne dans l'équilibre et l'ordre de la nature. C'est un rôle vital. Il n'y a rien de nuisible dans la nature. TOUT y joue un rôle UTILE.

L'homme est un carrefour de forces imprescriptibles. Il est lui-même une espèce de bouchon dans un océan interminable de forces, océan qui se poursuit au-delà de lui, l'homme, être provisoire et limité.

L'erreur commise par l'homme est de se voir

comme un tout, un tout fermé, comme un monde indépendant, alors qu'il n'est qu'un point de rencontre de forces qui se prolongent au-delà de la planète, au-delà du présent, au-delà de l'humanité, donc au-delà de nous-mêmes. Alors, il s'agit de rencontrer cet homme, qui est précisément un point de rencontre. Il s'agit de le définir complètement.

Nous avons déjà procédé à l'analyse spectrographique, si je puis dire, du cerveau, de la sexualité, de la vie totale qui sont des éléments de forces commandant la vie. Nous allons poursuivre cette investigation des forces qui, à l'intérieur de l'homme, conditionnent sa nature, sa vie, son destin. Nous savons déjà, par la psychologie, que l'homme naît avec des lignes dans ses mains qui nous donnent une certaine idée de son conditionnement et de son destin. Nous savons également que le visage de l'homme représente son cachet, son résumé, la synthèse de son conditionnement psychologique et on pourrait dire, en allant au-delà de la psychologie, que tel visage représente tel destin, telles lignes de la main représentent tel destin. On créera peut-être un jour la science du psycho-destin. Il est fort possible que cela se découvre en se basant sur l'hypothèse qu'une écriture représente un destin et non plus seulement un caractère, une personnalité, les couches profondes de l'hérédité, etc.

Et du reste, il existe en Suisse un psychanalyste hongrois, du nom de Szondi, qui a fait de nombreuses recherches sur les forces qui se trouvent à l'intérieur de l'homme et le conditionnement. Il a écrit, entre autres : « Le point de départ de nos investigations est la supposition que la naissance, la vie et la mort de l'homme ne sont pas l'effet du hasard. Tout ces événements se rattachent à un projet individuel. La vie de l'homme obéit à un projet déterminé. Aussi faut-il considérer la vie de l'homme à la façon d'une épopée ou d'un roman, comme une totalité dont les détails sont méthodiquement enchaînés. »

Il y a aussi la découverte des rythmes humains. On a, en effet, constaté que les êtres humains obéissaient à des rythmes qu'on a appelé biorythmes, ce qui, dans le langage populaire, se traduit par : nous avons de mauvais jours et de bons jours. Nous avons des jours où les choses nous sont plus difficiles. Nous avons tous des jours où une démarche tentée n'aboutira pas, et des jours où tout nous réussit. C'est encore une preuve de la correspondance entre le destin de l'homme et l'univers.

Maintenant, voici le livre d'un docteur, intitulé : « La Prédiction de l'avenir ». Si je vous en parle, c'est parce qu'il est, pour moi, la synthèse de nombreuses recherches et que son cas est vraiment frappant, car ce docteur, préoccupé par l'idée que tout était déterminé, a voulu le prouver et, pour cela, n'est pas allé chercher un médium quelconque, comme le font bien des savants, utilisant des êtres plus ou moins déséquilibrés, chez lesquels l'imagination prend le dessus et qui se mettent en transe pour obtenir des communications. Ce savant a choisi un jeune polytechnicien : un garçon parfaitement concret, équilibré, rationnel, mais qui avait la faculté de se dédoubler. Non seulement il disposait d'un merveilleux mécanisme intellectuel et avait toujours été premier à tous ses examens, non seulement il était un remarquable polytechnicien, mais il avait la faculté de se dédoubler sans se mettre en transe. Donc, à certains moments, sur une simple suggestion, et notamment celle du docteur Cornillier, il fermait les yeux et, soudain, il était un autre et dans un autre monde. Et il apportait à ce docteur des communications que celui-ci enregistrait et parmi lesquelles il y a l'apparition de certains esprits. Ces esprits, par l'intermédiaire de ce jeune homme éclairaient toute la genèse des actes humains individuels et collectifs, commandés depuis le monde spirituel.

Là, nous revenons à ce que je ne cesse de répéter, et que Szondi exprime en ces termes : « La vie de l'homme doit être considérée à la façon d'un roman, comme une totalité dont les détails sont méthodiquement enchaînés, se rattachant à un projet individuel. » Je dis moi-même que la vie est un film dont nous portons en nous les images, qui se déroulent à tour de rôle, mais que les êtres doués de voyance pourraient voir avant que nous les vivions. Je ne connais pas d'image plus symbolique. Quand un opérateur présente les premières images d'un film, il en connaît les suivantes. Le spectateur, lui, ne voit les images que les unes après les autres. La bobine contient la totalité des images et chacune vient en son temps. Eh bien, nous portons en nous un film que nous déroulons successivement, automatiquement, en vivant.

Un autre exemple, je dirai même une autre preuve de ce conditionnement absolu de l'être humain, comme de tout ce qui est dans l'univers, c'est la voyance, non plus par médiumnité mais par simple don naturel de prévision. Là, je suis obligé de citer une voyante qui ne s'est jamais trompée, que l'on doit donc considérer comme une machine parfaitement au point. Cette voyante s'appelait Mme Fraya. Mme Fraya était consultée par les plus grands chefs de la France, car elle était Française. Et, par exemple, elle est réveillée à deux heures du matin, une nuit de septembre 1914, et M. Malvy, ministre de la Guerre, en robe de chambre, entouré de plusieurs ministres, tous portant sur leur visage les traces du plus grand affolement, demande à Mme Fraya si les troupes allemandes vont pouvoir entrer dans Paris, car tous les renseignements qu'ils ont de la situation militaire les portent à désespérer totalement de la résistance des troupes françaises. Mme Fraya, sans aucune hésitation, sans réfléchir, répond : « Non, ne vous inquiétez pas. Les Allemands seront rejetés au-delà de la Marne et n'occuperont pas Paris. » Elle en était sûre et un rêve l'avait confirmée dans cette conviction.

N'y aurait-il que cet exemple, il prouverait que l'avenir fait partie du présent, puisqu'on peut voir le déroulement des faits avant qu'ils ne se soient produits. Ces faits « à venir » existent donc déjà. Ils existent, entre autres, en nous, dans notre conditionnement, lequel nous pousse à faire telle et telle chose, mais je dis bien « entre autres », car il n'y a pas que nous. Nous ne sommes pas influencés seulement de l'intérieur, nous le sommes de l'extérieur. Nous sommes des êtres de l'infini, nous sommes à l'intersection de forces qui se prolongent au-delà de nous et au-delà de la terre, à l'infini. Comme les astres sont portés par ces forces et tournent les uns autour des autres grâce à ces forces, eh bien ! L'homme lui-même est porté par des forces qu'il ne peut pas abolir. Il y a d'autres exemples de ce déterminisme : l'astrologie ; mais l'astrologie est très discutée. L'astrologie des Anciens était plus précise que l'astrologie récente, mais les gens qui sourient au mot d'astrologie sont vraiment peu sérieux, car personne ne peut réfuter l'influence de tout ce qui nous entoure et, entre autres, des astres.

De cet ensemble, il résulte que le passé, le présent, l'avenir sont liés comme les anneaux d'une chaîne. Nous, nous les voyons séparés et, cependant, nous sommes autant imbibés de passé et d'avenir que de présent, mais nous vivons à chaque fois dans un seul temps que nous appelons « le présent ». Remarquez que « le passé » et « l'avenir » ne sont que des « présents ». Ce que nous appelons « passé » a été un présent, et ce que nous appelons « avenir » sera un jour un présent.

Et puis, il n'y a pas seulement le passé individuel et l'avenir individuel, mais il y a le passé et l'avenir collectifs. Il y a le fait sur lequel j'ai insisté plusieurs fois : l'humanité, d'après les dernières découvertes archéologiques, a de 2 à 10 millions d'années, nous sommes la résultante de tous les hommes qui ont vécu sur terre pendant des 2 à 10 millions d'années. Et nous sommes également la résultante de tous les phénomènes spirituels et physiques qui ont amené la naissance de la terre, la naissance du système solaire. Il est frappant que les physiciens s'accordent aujourd'hui pour dire que nous vivons dans un univers à quatre dimensions où le passé existe encore et où l'avenir existe déjà. Ils disent cela surtout pour les astres et les phénomènes physiques, mais ils oublient que l'homme est aussi un phénomène, un phénomène spirituel et physique.

Pour ce qui concerne notre passé, nous avons en nous le passé de nos parents, de tous nos ancêtres, puis nous avons le passé collectif, le passé de l'humanité, puis, à part cette hérédité physique, nous avons une autre hérédité, car les uns et les autres appartenons à des familles spirituelles. Tant il est vrai que l'homme est avant tout un esprit. Les différents esprits qui sont sur la terre appartiennent à des familles héréditaires invisibles. L'hérédité spirituelle est un âge spirituel qui n'a rien à voir avec notre âge physique. Un Mozart se mettant au piano à quatre ans, un Pic de la Mirandole ayant des connaissances innées et étonnant tout le monde par sa prodigieuse intelligence et sa prodigieuse culture, dès le plus jeune âge, n'avaient pas l'âge de leur corps.

D'ailleurs, les plus grandes inspirations peuvent frapper un homme de 70 ans comme elles peuvent passer à travers un enfant de 5 ans ou un jeune homme de 15 ans. Cela n'a pas d'importance. Nous avons donc un âge artificiel, un âge apparent et un âge moral, spirituel, qui est relatif à notre hérédité spirituelle. C'est pourquoi nous voyons des êtres de 50 ans, 60 ans, qui sont de véritables enfants, qui en sont encore à l'âge animal même, et certains autres qui, ayant dépassé un peu l'âge animal et vulgaire, en sont tout juste au b, a, ba de la spiritualité, et ainsi de suite. De même que nous trouvons des êtres très spirituels en dehors des religions, nous trouvons des êtres très âgés moralement et qui ne le savent pas, qui se croient même en retard parce qu'ils sont en marge de tous les groupes idéologiques, spirituels ou religieux. Donc, tout n'est qu'apparences. Même notre visage est une apparence. Notre visage est un masque. La seule réalité qui sort de ce masque, ce sont les yeux. Un être est véritablement lui-même par son regard. C'est-à-dire qu'il a les yeux de l'esprit qui est en lui, de son âge réel. Et de même que nous avons deux passés : le passé physique, collectif, et le passé spirituel de nos familles spirituelles, nous avons un avenir qui n'est pas seulement notre avenir individuel, car personne n'est seul. Il ne faut jamais perdre de vue cela : personne n'est seul. Nous nous croyons seuls, mais notre destin est imbriqué dans des destins, dans une foule de destins.

Notre avenir individuel ne prend son vrai sens que dans le contexte de plusieurs avenirs collectifs, et nous pourrions dire simplement dans le contexte de l'avenir collectif. Nous sommes « cernés », comme le noyau de l'atome l'est par les électrons, et comme tout « le reste » de la vie. L'avenir était déjà là, bien que nous ne l'apercevions pas encore ; de même que nous ne voyons pas notre passé, nous portons en nous les pré-misses de l'avenir, même de l'avenir collectif. Or, quel est cet avenir ? Nous allons, certes, au-delà de l'homme, ou, plutôt, nous allons d'abord vers l'homme. Nous employons souvent cette expression parce qu'elle est plus commode, nous disons « l'homme » en parlant de notre condition, mais nous savons bien que l'homme véritable n'est pas encore réalisé. L'homme actuel est un être humain en train de se faire. Il y a quelques spécimens d'hommes accomplis. Il y a quelques spécimens d'hommes âgés, d'hommes intégrés, mais ils ne sont que des échantillons, des prémisses, et même ces hommes-là sont très imparfaits. Même les plus élevés, les plus spiritualistes, ceux qu'on a appelés les saints, sont très imparfaits, à tel point qu'ils furent irrités d'être appelés saints, car ils connaissaient très bien leurs faiblesses humaines. Tel était le cas de Gandhi, tel est le cas de Schweitzer, tel était le cas de Pierre Teilhard de Chardin, etc. Tous ces hommes refusent l'épithète qu'on leur accole, car ils savent très bien qu'elle n'est pas exacte. Donc, l'homme est à venir, et tout est appelé à changer, même dans l'homme physique, dans l'homme physiologique. Tout ce que nous apercevrons autour de nous est dualité. Nous voyons tout divisé en deux, alors que tout est un. Nous voyons le jour, la nuit. Nous voyons le bien, le mal, et nous voyons l'homme et la femme.

Un être viendra un jour qui sera androgyne. Probablement, nous portons cela en nous. Du reste, la frontière entre les deux sexes est tellement ténue, tellement fragile, qu'il suffit de quelques hormones pour faire passer d'un sexe à l'autre, et notre époque est celle qui voit le plus de mutations de ce genre : un homme qui se révèle être une femme, une femme qui se révèle être un homme. Ce qui prouve que tout n'est qu'apparences vraiment : notre âge, notre aspect, notre sexe, notre division, la multiplicité et le chaos.

Pour en revenir à notre avenir, il y a un fait capital, qui doit certainement s'inscrire en nous biologiquement. C'est que l'homme est en train de sortir de sa condition de prisonnier de la terre. Nous sommes en ce moment entre deux âges de l'évolution et il est capital pour nous d'essayer de penser ce moment de l'évolution. Il est émouvant de se trouver à cette époque où l'homme commence à faire son premier pas dans l'espace, alors que pendant 10 millions d'années il était rivé à son petit globe appelé « la Terre ». Dieu a ouvert les yeux de l'homme petit à petit. Il lui a donné, par exemple, les yeux de l'astronomie.

Par l'astronomie, l'homme a d'abord découvert son environnement. C'est pourquoi nous pouvons aujourd'hui nous dire que nous ne sommes pas seuls, que nous sommes augmentés de tout l'infini, et puis la science a fait découvrir l'infiniment petit aussi. C'est-à-dire que Dieu a ouvert l'œil de l'homme pour qu'il voie que tout ce qu'il appelle matière est plein d'une vie ardente, y compris cette table, cette feuille de papier. Tout est composé d'atomes, d'une multitude de systèmes solaires en miniature. Et voilà qu'un autre œil se trouve dans l'esprit. Il montre à l'homme qu'il est membre de l'espace et qu'il va entrer dans l'espace, pénétrer, donc, dans ce monde inconnu pour lui et y rencontrer d'autres hommes sur d'autres mondes. Or, l'homme était préparé à cette condition d'être de l'espace. Il est fait pour traverser l'espace. Pourquoi ne l'a-t-il pas fait avant ? Parce que ce n'était pas de son âge. Il n'était pas encore mûr pour la deuxième étape de son évolution.

Après 10 millions d'années, l'homme s'apprête à connaître un autre conditionnement biologique et il va notamment abolir la pesanteur.

D'ici la fin de ce siècle, les hommes verront se dérouler ce prodigieux spectacle de leur enrichissement et de leur augmentation, ce prodigieux spectacle de leur expansion dans l'espace.

Je dis bien que cela va changer la condition de l'homme, non pas comme un simple progrès technique, mais comme une mutation spirituelle. Cela va le changer déjà mentalement, changer sa mentalité, sa pensée, sa conception de la civilisation. L'homme, élargissant ses horizons, va devenir plus sage, muter biologiquement, notamment par l'effet héréditaire de cette continuelle apesanteur.

Nous pouvons dire, donc, que nous sommes les êtres d'entre les deux étapes de l'évolution, nous sommes placés à une époque charnière entre la condition de l'homme rivé à la terre et la condition de l'homme appelé, dans tous les siècles futurs à évoluer plus spirituellement.

Nous avons ainsi des responsabilités particulières de membres de l'entre-deux-étapes-de-l'évolution. Tout est en train de basculer, tout est en train d'éclater, même la coquille de l'œuf dans laquelle l'homme se trouvait, et l'homme va connaître la basse-cour cosmique, la basse-cour environnante. De même les religions, les idéologies, les conceptions politiques, les structures sociales, tout va chavirer, exploser, se transformer, aller vers l'unité à travers de plus grands ensembles.

Nous avons déjà des phénomènes inhabituels sur la Terre, qui sont précurseurs de mutations fantastiques. Tout va muter, même les religions. Je le précise, parce que cela peut aider certains d'entre vous qui ont été formés par des religions, qui pourraient se trouver un peu décontenancés devant un enseignement ébranlant les bases sur lesquelles était bâti l'édifice dans lequel ils sont nés et ont été élevés. Mais sans même parler des religions, nous pouvons simplement considérer nos familles, notre formation scolaire, notre formation morale. Nous voyons constamment des principes, qui nous ont été enseignés, bousculés par la vie. Nous voyons constamment des morales préfabriquées s'effriter et voler en éclats.

Pour l'instant, les religions sont l'école maternelle de la spiritualité, une école importante, une école indispensable, mais faite pour les esprits de l'âge de l'école maternelle de la spiritualité. Je dis cela d'une manière absolument objective, respectueuse et parfaitement fondée. Puisque nous n'avons pas l'âge que nous croyons avoir, et tant il est vrai que nous nous séparons de ce qui, à cause de notre âge, ne nous apparaît plus comme vrai. Par exemple, l'enfant, jusqu'à un certain âge, accepte comme vraie la légende du Père Noël, qui est d'une poésie inouïe et merveilleuse, et très souvent l'on souffre, les parents les premiers, de voir cette poésie s'éteindre et l'enfant découvrir que le Père Noël n'existe pas. Mais il y a, dans toutes les religions, une vérité masquée, une vérité habillée. Il y a un cœur de vérité enveloppée dans des habits de légendes, de mensonges nécessaires.

Eh bien, Dieu aussi nous donne quelques petits ou grands coups, Dieu nous secoue pour nous réveiller. On peut très bien parler de cela à propos des religions, puisqu'il s'agit d'enfants, puisqu'il s'agit d'éducation. Il est normal que les religions se soient fondées, comme se fondent des écoles. Il est normal que, dans les religions, on utilise des moyens que l'on n'utiliserait pas avec des êtres plus adultes. Un père, à partir d'un certain âge de son enfant, ne lui donnera plus la moindre gifle. À partir d'un certain âge, il n'utilisera plus le moindre mensonge à l'égard de son enfant. Eh bien, dans les religions, on utilise certains procédés parce qu'on sait que ceux qui doivent passer par les religions, et qui ont absolument besoin d'y passer, doivent recevoir une vérité à leur portée.

J'ai eu les confidences d'un jeune homme catholique très pratiquant, et qui cherchait encore la vérité. Sa religion ne lui suffisait pas, il lui était pourtant très attaché. Il m'a dit qu'un jour il n'y a pas tenu, il a confessé à un père Dominicain son trouble et il lui a demandé si un catholique vraiment fidèle à sa religion avait le droit de chercher la vérité en dehors de l'église catholique. Savez-vous ce que ce Dominicain lui a répondu ? Il lui a dit : « Si vous en éprouvez le besoin, c'est qu'il le faut, et vous devez chercher la vérité partout où vous croyez la trouver. » Il ne lui a pas répondu comme le ferait l'autorité ecclésiastique : « Hors de l'Église, pas de salut, donc pas de vérité. »

Parce qu'il savait que ce garçon auquel il parlait était très avancé, très évolué, ce prêtre lui donnait l'autorisation de chercher ailleurs. C'est exactement comme si un instituteur, un maître d'école maternelle, s'apercevant qu'un de ses élèves est particulièrement avancé, propose lui-même aux parents de lui faire changer d'école prématurément. Dans cette école de la spiritualité que j'appelle, sans aucune mauvaise pensée, l'école maternelle de la spiritualité (ce qui implique qu'il y en ait d'autres), dans cette école, il y a plusieurs livres, il y a plusieurs classes. Parmi les livres et parmi les classes, il y a le Coran, l'Ancien Testament, la Bhagavad Gita et la Cabbale. Il y a aussi les livres de Confucius, de Lao Tseu, il y a le Bouddhisme Zen, et puis, parmi les maîtres de ces diverses écoles, il y a Mahomet, Moïse, Jésus, le Bouddha, etc. Tous témoignent d'une seule pensée, mais chacun parle son langage, c'est-à-dire la langue de ceux à qui il s'adresse. Comme il y a des langues géographiques, il y a des langues spirituelles. Donc, ce qui convient à l'un ne convient pas à l'autre, mais qu'on laisse à chacun Dieu et qu'on ne cherche pas à dérouter quelqu'un qui se trouve bien dans son école ou dans sa religion, qu'on ne lui enlève pas le principal, c'est-à-dire Dieu.

On n'a pas le droit d'imposer un chemin pour

aller à Dieu. Si l'on dit à quelqu'un qu'on ne peut aller à Dieu qu'en passant par Jésus, on commet une faute. Si on dit à quelqu'un qu'on ne peut aller à Dieu qu'en passant par Mahomet, on commet une faute. Le principal, c'est la vérité, et chaque religion enseigne la vérité, mais l'habille à sa manière. Encore ne faut-il pas que les habits soient appelés l'Être. Le seul objectif est Dieu.

Nous ne devrions tous parler que de Dieu, parce que Dieu unit. Tout le reste divise, toutes les religions divisent, car à côté de Dieu, elles placent un dieu. Quand on constate qu'un être ne veut pas accepter la divinité du Christ, ou qu'il ne veut pas accepter la divinité de Bouddha, pourquoi insister, et croit-on que c'est ainsi qu'on va rendre croyants les incroyants ? Et précisément, si on avait un peu de respect et d'amour, on se rappellerait que toutes les religions additionnées sont loin de faire la majorité des êtres humains. Je parle des membres de religions qui pratiquent leur religion et non pas de ceux qui sont nés dans ces religions. On constaterait, au contraire, que les athées sont la majorité.

Or, ce qui importe, c'est de faire découvrir aux athées leurs véritables origines, de leur faire découvrir leur véritable bonheur, de les faire aller à la découverte de Dieu, mais d'un Dieu très vaste, un Dieu non habillé, un Dieu non marqué, un Dieu qui convient à chacun, que chacun puisse voir comme il l'entend, le vrai Dieu, c'est-à-dire le Centre de Tout. Dès l'instant qu'on présente comme centre autre chose que Dieu, c'est-à-dire le Seul, le Seul Être qui soit, au lieu d'amener les êtres à un centre vrai, on les dé-centre, on les dissocie, on les tue. On les tue moralement, et voilà pourquoi tant d'êtres sont véritablement morts moralement. Voilà pour-quoi sont nées les religions athées, comme l'exis-tentialisme et le marxisme. Si l'on n'avait pas tant fait de divisions, si l'on n'avait pas tant fait de «propagande commerciale», chacun pour «son Dieu», en disant qu'il était meilleur que l'autre, on n'aurait pas éloigné de Dieu l'immen-se majorité des êtres sur la terre, qui sont tom-bés dans le plus grand désespoir, dans le doute, le dégoût de tout. La religion, je dis bien la reli-gion, communiste ne serait pas née, l'existentia-lisme sartrien ou autre ne serait pas né, si on avait su parler d'un Dieu général, unique, au lieu de créer un nombre incalculable de dieux ou de sous-dieux. Mais, enfin, ne nous irritons pas, car tout ceci est bien aussi, correspondant à un âge de l'humanité, et tout ceci ne pouvait pas ne pas être jusqu'à présent, mais le fait de savoir qu'il aurait pu y avoir une autre voie prouve qu'il y aura une autre voie, qu'une autre voie est ouverte, et nous la sentons, elle parcourt notre âme, une voie qui partira des diverses religions existantes pour mener au vrai point central. Pas plus qu'il n'y eût de difficulté à ce que l'un d'en-tre nous soit né en Iran, un autre en France, un autre en Russie, un autre au Maroc, un autre en Amérique, pas plus qu'il n'y a de difficulté à se rencontrer, malgré ces origines diverses, et à se reconnaître comme sœurs et frères, pas plus il n'y en aura quand on se rencontrera allant vers Dieu et venant de religions différentes. À une condition, toutefois, c'est que personne, sur le parcours, ne nous dise qu'il faut faire marche arrière et entrer dans la voie de sa religion. Donc, la vérité n'est pas dans une synthèse des religions, la vérité n'est que dans une recentration. Il faut découvrir le vrai centre, il ne faut pas brouiller les centres. On brouille les centres quand on appelle Dieu «Bouddha», quand on dit que «Dieu, c'est le Christ», ou «Le Christ, c'est Dieu».

L'homme n'a pas encore atteint sa majorité spirituelle, mais, quand il l'atteindra, il pratiquera la religion intérieure. Toutes les religions extérieures sont bonnes, comme sont bonnes les écoles. On sort de chez soi pour aller à l'école, parce qu'on ne peut pas s'enseigner soi-même. Les maîtres ne viennent pas à domicile, sauf quand on est riche, mais si l'on a la science infuse du spirituel on n'a pas besoin d'aller dans une église ou dans un temple ou dans une mosquée. Alors, on reçoit Dieu comme un fil électrique reçoit le courant, on n'a pas besoin d'aller à la centrale du courant électrique pour cela. Eh bien, c'est beau de le dire, mais ceux qui le captent, ce message, et ceux qui l'entendent et ceux qui le savent, ceux-là ont déjà la religion intérieure qui prépare le temple de la religion intérieure. Je ne dis pas aux êtres de sortir de leur religion, je leur dis : «voyez à quoi elles mènent et ne l'oubliez jamais». N'oubliez pas :

«chaque religion mène à Dieu». Elle ne mène pas à quelqu'un d'autre.

Le mal et l'amour sont les deux substances qui fondent les religions et le sens des religions. Il faut donc que nous fassions une introspection scientifique du mal et de l'amour, comme nous l'avons fait de l'infini, de Dieu, pour arriver à comprendre comment l'homme pourra passer des religions extérieures à la religion intérieure. Le grand mal, c'est de vivre séparés.

C'est de vivre séparés d'un immense être, d'un immense tout, d'un immense bien qui, lui, est sans division, car le bien et l'amour sont indivisibles. À nos yeux, dans notre vie transitoire et provisoire, il y a, mais ce ne sont que des apparences, il y a le mal et le bien. En vérité, il n'y a que le bien, il n'y a que l'amour. «Le mal», comme le disait le Révérend Père Carré, à Notre-Dame de Paris : «le mal peut devenir un instrument de travail. La souffrance est un mal», disait-il, «et peut devenir un instrument de travail». Je voudrais terminer ce chapitre sur ces mots, car c'est un signe d'évolution prodigieuse d'une des grandes églises présentes. Le Révérend Père Carré a écarté toute relation de cause à effet entre les fautes que les hommes commettent et les calamités qui peuvent les frapper. Alors que, jusqu'à présent, dans la plupart des églises, il était question d'un Dieu vengeur, des calamités qui surviennent comme punition des fautes des hommes. «Il est trop facile», s'est-il écrié, «de brandir la vengeance divine en face du désastre qui ravage un pays. Ne mêlez pas

Dieu à vos sanglantes querelles. Ne dites pas, même pour vous exciter au repentir : « Dieu m'a puni. Je l'avais mérité ». Donc, Dieu ne punit pas, contrairement à ce que les religions, et pas seulement la religion catholique, prétendent. Nous sommes, précisément parce que nous mutons tous, en présence de phénomènes qui affectent même des chefs religieux ; même ceux qui doivent un jour ne plus enseigner et savoir que la religion n'existera pas toujours, même ceux-là sont travaillés par la révolution, signe d'évolution, qui se fait et qui touche aussi les chefs politiques.

Tous les chefs d'aujourd'hui peuvent être appelés à employer des paroles que, dans une autre époque, ils n'auraient absolument pas pu prononcer. Ce qui nous prouve encore une fois que, les uns et les autres, nous sommes mus, nous sommes conditionnés, nous sommes déterminés, nous sommes des réveils bien remontés, et que tout s'accomplit comme il le fallait. TOUT EST UN.

À L'ÉCOUTE DU DESTIN

Ainsi, la vraie vie se situe ailleurs, et sous un autre aspect que celui du corps mortel. C'est une des constatations principales à faire et à ne jamais oublier. Il y a sur ce plan matériel des machines, pensantes ou non, hommes ou animaux, qui sont manipulées depuis l'autre plan. Donc, depuis le plan réel, le plan de la vraie vie, il y a des esprits, des forces, des âmes qui, sous la direction de la tête, Dieu, manipulent les machines, animaux, hommes, au service de Dieu en définitive, quand bien même nous ne comprenons pas tout ce qui arrive.

Mais tout ce qui arrive a un sens.

Nous en avons la preuve avec ce qui arrive dans l'univers cosmique : l'éternité et l'équilibre, malgré la mort continuelle de mondes. Tout ce qui arrive prend son sens à cause de Dieu, chef de toute la vie.

Dieu, sous l'autorité duquel se trouvent des esprits et des forces qui, à nos yeux, ne sont pas tous bons. Nous, les apprentis-hommes, nous sommes sans cesse pénétrés et manipulés par des esprits et des forces et des âmes. Nous sommes sur le plan de la matière et cette matière est utilisée, animée, magnifiée, divinisée par les esprits, les forces, les âmes qui nous pénètrent et nous manipulent. Ce qui compte, ce sont ces esprits, ces forces et ces âmes. Nous nous croyons avoir une âme à nous, un esprit à nous, mais la seule chose qui soit censément à nous, qui nous paraisse l'être d'une manière palpable, personnelle, c'est notre corps. L'existence matérielle, pour ces esprits, pour ces forces, n'est pas autre chose qu'un banc d'essai, d'expériences, où nous sommes parmi les instruments de la vie, du Divin.

Pour nous, la vie est une école. La majorité des êtres ne le sait pas. Nous qui cherchons à savoir, nous constatons que la vie matérielle, ici, est une école avec des classes très différenciées, selon l'âge qu'ont les âmes et les esprits qui animent des corps d'hommes. Cette école de la vie matérielle terrestre comporte des épreuves, ce sont des «épreuves d'examen». Nous subissons une épreuve, comme un étudiant. À nous donc de la réussir le mieux possible, donc de l'affronter, de l'assumer. — «Souviens-toi d'être noble», disait Nietzsche.

Quand on est conscient, on est encore plus capable de réussir ses épreuves pour passer au degré supérieur; d'un degré d'esprit à un autre. Par conséquent, les forces qui passent à travers nous s'exercent, par des épreuves et des expériences, pour enrichir la vie et assurer sa promotion à un degré supérieur. Nous avons observé le paysage métaphysique de l'homme et de la femme. Nous savons qu'il n'y a pas de liberté, et cependant, plus on est conscient de la liberté de Dieu, plus on s'en rapproche. C'est pourquoi il nous est permis de nous brancher sur cette liberté. Il ne nous est pas permis de mener cette vie comme nous le voulons, puisqu'elle n'est pas de nous. Ce sont d'autres qui vivent et qui se manifestent à travers nous. Notre « machine » étant manipulée, il nous est permis, par la conscience, de remonter la filière, d'essayer de comprendre ce que l'on nous fait faire. La prise de conscience s'effectue sur deux plans de vie.

1. Le plan de l'invisible, qui est le plan réel et principal. Ce n'est pas le nôtre. Il ne peut pas être le nôtre tant que nous sommes des manifestations physiques, avec un corps physique. C'est le plan d'où émanent les ordres donnés aux instruments de la vie matérielle ou incarnée.

2. Notre plan. Celui du visible. C'est la fausse réalité. C'est le reflet du vrai plan. C'est le plan matériel. Tant d'êtres sont malheureux parce qu'ils prennent ce plan de l'existence pour l'essentiel, pour la Vie, pour le véritable.

Notre plan, c'est le plan de la matière, de la soi-disant réalité où se meuvent les formes, les corps, les apparences, destinés à jouer un rôle.

Les Hindous emploient une expression assez frappante. Ils disent que tout est illusion. C'est un peu exagéré, car cette fausse réalité est réelle tout de même, avec toutes les tâches que l'on a à accomplir pour parvenir à l'humain.

Quand on veut prendre conscience, on doit savoir qu'on est cerné. La prise de conscience, ce n'est pas un plaisir, ni une évasion, c'est elle qui doit nous amener à l'obligation de vivre sur deux plans à la fois. C'est pénible, mais nous y sommes tenus, le courant divin se subdivisant du plan spirituel au plan «humain».

La première question est : comment parvenir à prendre conscience du plan spirituel sans lequel on est sujet à l'angoisse, à la peur, à l'orgueil et à la mort avant la mort ? Car la majorité des êtres dits humains sont plutôt morts que vivants.

La première condition pour prendre conscience du plan spirituel, c'est de se mettre à l'écoute. Se mettre à l'écoute, ce n'est pas prier, mais une certaine prière conçue comme une écoute est tout à fait estimable. Or, la prière n'a été conçue jusqu'à présent que comme une demande, comme un appel. Cette écoute doit être sans condition. C'est se nettoyer la pensée, c'est se nettoyer de toute intention, de toute volonté. On écoute ce que les esprits ont à nous dire, pour apprendre d'eux ce qu'ils attendent de nous.

Pour se mettre à l'écoute véritable, il faut faire le vide de ses préférences. Il s'agit de faire le vide pour prendre la bonne écoute. Faire le vide pour faire le plein. Faire le vide dans ce qui est encrassé de personnalité, d'intérêt, d'orgueil, de peur, de volonté, de désir de sécurité, de bien-être, de confort matériel. Faire le vide de ses connaissances, faire le vide des idées toutes faites, des idées reçues dans le milieu de vie, le vide des projets qui limitent et des attachements qui ligotent. Il faut faire le vide total de la pensée.

Quand on a fait le vide, on reçoit le plein de lumière de la spiritualité, on sait ce que l'on doit être, où l'on doit aller, on est téléguidé. Se mettre à l'écoute, prendre conscience, tout cela peut se résumer en une expression qui a été très répandue : « Entrer en soi », oui, entrer en soi, mais pour en sortir et non pour s'y complaire. Il faut oublier le soi et non ce qui le remplit. Y entrer pour sortir de la prison de l'égotisme. Il ne servirait à rien de chercher à dépendre de la volonté spirituelle si nous ne lui obéissons pas, si nous ne faisions le contraire de ce qui nous plaît. Sortir de soi par la porte de l'humilité et même par la porte du subconscient. On ne fera jamais trop participer le subconscient à la vie spirituelle. Mais il faut savoir le contrôler, à la fois le lâcher et le rattraper. Il faut laisser parler les forces et les âmes qui nous animent, et cela par l'intermédiaire du subconscient. Il y a une autre porte pour accéder à la prise de conscience, au vide. C'est la porte du silence. D'une manière générale, nous parlons trop. Nos civilisations sont détraquées par le bruit. On n'a jamais été si stupide que depuis qu'on a des bibliothèques à foison, car il y a une confusion terrible. On obtiendrait facilement le vide, si on voulait bien oublier ce qu'on a appris et si l'on maîtrisait la peur. Si on ne le fait pas, les forces invisibles ne peuvent pas nous occuper tout entier. Faire le vide pour être rechargé, afin d'aller plus loin, afin de redonner ce qu'on a reçu.

Un moyen encore est de fermer les yeux, de répéter mentalement plusieurs fois : « Esprit fondamental », ne serait-ce que pendant quelques minutes. Se laisser saisir et se rendre disponible. La disponibilité, avec l'humilité, est une des principales vertus de l'homme obéissant, homme « machine consciente » voulant être conduite vers le but qui est le Service. Le but-service, raison d'être de notre existence.

L'engouement que l'on porte à certains exercices à la mode, et à certaines méditations qui mènent au Nirvana, est à proscrire ! Dieu ne nous demande pas de l'adorer, de le prier, de rester dans la béatitude. Il nous a placés sur la terre pour faire quelque chose. Il n'a de moyens, de pieds, de jambes, de volontés, que ceux qu'Il actionne. Se rendre disponible à l'égard de Dieu, c'est d'abord l'aimer. On n'a jamais insisté suffisamment là-dessus ; aimer Dieu, c'est avoir la passion de l'humanité à cause de sa misère. Aimer l'humanité, car on sait qu'elle est le terrain de prédilection de Dieu. Que ceux qui aiment soient des locomotives ! Il y a tant de wagons sur une voie de garage !

Aimer l'humanité, c'est aimer Dieu. Il faut savoir ce que c'est, aimer Dieu. Ce n'est pas le remercier quand une joie nous est dévolue. Aimer Dieu, c'est aimer tout son système, toutes ses lois, l'aimer avec tout ce qu'il contient. Par conséquent, c'est aimer sa propre mort, sa propre souffrance, ses propres difficultés, ses ennuis, ses obstacles. C'est reconnaître que ceci est « bien ». La vie, elle, est éternelle. L'âme et l'esprit sont éternels. Mais nos petites « personnes » sont périssables, nécessairement. Il ne s'agit pas de l'admettre à la rigueur, comme la mort, parce qu'on ne peut pas faire autrement. Il s'agit d'aimer qu'on doive disparaître un jour en tant que personne limitée. Ne pas rechercher la mort, certes, ne pas la fuir, l'aimer vraiment comme une pièce maîtresse de la construction divine. Si l'on finit par aimer sa propre mort, tout le reste paraît secondaire, les ennuis, la maladie, les difficultés, les embûches, les obstacles, la fatigue, tout cela peut même nous faire rire si nous essayons de nous dédoubler, comme nous le faisons quand nous racontons les petites histoires qui nous sont arrivées. Il faut savoir considérer de haut ses épreuves, expériences par lesquelles il fallait passer pour aller au but. Donc, aimer Dieu, c'est le comprendre. Comprendre et aimer nos souffrances, nos difficultés, accepter ce qu'Il a décidé, et cela en bon élève qui accepte d'un maître qu'il aime les ordres et les directives, en bon élève de l'école de l'évolution et de l'école de la mort, car la mort aussi est une école. Si l'on sait comprendre la mort, notre mort personnelle, alors on réalise que l'on n'est rien, et c'est aussi la mort de l'orgueil, totale. Quant à l'école de l'amour, c'est une école qui nous apprend que Dieu est amour et que le retour à Dieu est le retour à l'unité. L'amour humain apparaît sur cette terre comme la recherche de la vraie paix, du vrai progrès, de la justice sociale, et de la solidarité de l'unification.

Si nous sommes branchés sur l'amour universel, et ne craignons pas notre mort, nous travaillons de toutes nos forces pour l'entente, l'entraide entre les hommes ; tout cela qui est la Paix. Ce n'est pas l'absence de guerre, c'est avant tout le désarmement des esprits. C'est l'amour de tous les peuples, de tous nos frères. Ne pas tolérer que les uns aient un niveau d'existence excessif et que d'autres n'aient pas la suffisance. Aimer Dieu, c'est aimer les difficultés, tout ce qui nous paraît inacceptable, les privations, mais pas pour les autres. Tout cela implique de rejeter le souci. On se trouve parfois en présence de situations devant lesquelles on ne sait plus que faire. On appelle cela un ennui, une impasse. Il ne faut pas les transformer en soucis. Il faut remettre à leur vraie place les indispensables contradictions de l'être et de l'existence.

Si l'on traverse un moment difficile, il importe de bien respirer, et tout s'allégera. Certes, il y a lieu de regarder les choses en face, mais il faut les voir telles qu'elles sont. Les ennuis sont grossis par notre peur, notre imagination, notre faiblesse, notre manque d'amour. Nous devrions comprendre qu'un ennui, c'est une panne. Si ça peut s'arranger, tant mieux ! Sinon, tant pis ! Et le « tant pis ! » doit être parfaitement détaché. Il faut donc rejeter le souci, car le souci est une preuve de faiblesse et de manque de compréhension de Dieu. Nous sommes en train de dérailler si nous entretenons un souci. Il faut rejeter la peur, mère du souci ; c'est la plus grande trahison envers l'ordre divin et la philosophie. Avoir peur, c'est oublier que tout est parfaitement organisé et que même si ce que nous redoutons devait se produire, cela, sur un certain plan, serait à sa place.

C'est pourquoi, dans un livre sacré, il y a cette phrase : « Et les lys des champs, et les oiseaux, se préoccupent-ils du lendemain ? Si vous aviez de la foi comme un grain de sénevé ! » Aujourd'hui aussi, la plupart des êtres, sur tous les plans, manquent de foi.

Il faut aimer sa propre mort, ses propres ennuis et admettre ce qu'on ne comprend pas, chercher toujours à comprendre jusqu'au bout. Le « coup dur » arrive, et il faut immédiatement le mettre à sa place, comprendre que ce n'est pas mauvais en soi ; ce qui ne veut pas dire qu'il ne faille pas faire quelque chose, s'il vous est donné, en conscience de le faire. Même dans le cas où l'on ne comprend pas ce qui nous arrive, il nous faut admettre ce que nous ne comprenons pas. Comme un enfant qui adore son père et qui ne comprend pas pourquoi il lui fait la grosse voix, mais il l'admire tellement qu'il est sûr qu'il a raison, malgré tout.

Faire le vide, c'est nettoyer tous les canaux qui permettent l'infiltration des forces divines. Les conventions, la formation reçue, les préjugés, les connaissances de l'intellect sont les « dépôts » à nettoyer, précisément.

Les « connaissances » empêchent souvent le passage de la vraie connaissance. Les canaux sont obstrués. L'eau-de-vie, l'eau divine ne peut pas passer. Il faut imposer silence aux bruits physiques, parfois aux bruits du conscient, de l'intellect, de la peur, de l'orgueil. Une condition importante aussi : c'est de se détacher le plus qu'on le peut de la vie matérielle.

Dieu n'a pas la prétention de consciencialiser d'un coup toute la masse humaine. Il cherche à mettre en branle une infime minorité. A. Gide a dit : « Le monde sera sauvé par quelques-uns ». Prenons comme exemple Gandhi. Son succès doit nous donner confiance, donner confiance aux élites. Un homme a suffi contre une puissance militaire. Le nombre ne compte pas. La libération d'une masse aveugle et ignorante se fera de surcroît. Un d'abord, la collectivité ensuite. La locomotive et les wagons !

Nous savons qu'il n'y a pas de personnes autonomes, recherchons la volonté de qui nous a préparés à notre rôle.

Connaissez la vérité et elle vous libérera. Il ne faut pas vouloir être libéré pour son propre bonheur, pour sa satisfaction personnelle.

Oui, la vérité libère. Elle nous donne la volonté d'agir pour trouver la vraie vie, car les machines inconscientes n'ont pas la vie, elles ont l'existence. Ceux qui veulent vivre se sont d'abord consciencialisés. Il faut sortir de sa prison d'abord consciencialisés. Il faut sortir de sa prison pour être. Sortir de la séparativité ; ne plus être séparé de l'infini, de la société, du monde ; sortir de la séparativité par la solidarité sur le plan mondial et sur le plan individuel.

Il y a l'amour et l'amour pour l'humanité, l'amour identification et l'amour polarisation, l'amour-service. Nous sommes entrés dans ce monde pour y faire acte de présence de toutes les manières et montrer le moins d'intérêt possible pour ce qui est égoïsme, sécurité, argent. Il nous faut assurer le plus d'humanité possible, prendre en charge le plus d'êtres possible, leur ouvrir les ailes, les aider à voler. Nous nous interactionnons les uns les autres. Il ne faut pas avoir peur des oppositions. Elles alimentent le mouvement. Tout « anti » est bon. Certains sont heureux, n'ayant pas d'ennemis. « Comme je vous plains de n'avoir pas d'ennemis ! », leur répond Lanza del Vasto.

Certes, on doit toujours tenter de faire mieux, de convaincre les opposants, mais on avance aussi par leur réaction. Cette réaction est toujours bonne. Le rôle moteur du mal est un stimulant pour le bien. Le mal et le bien sont secrètement alliés ; ils refont ensemble l'amour. Une fois mobilisés en conscience, en amour, nous ne pouvons que travailler pour le transfert direct du mal à l'amour.

Le mal sert au bien par réaction, mais si l'on peut gagner du temps en traitant le mal directement par l'amour, il faut le faire. Comment opérer ce transfert ? En y croyant. En faisant le bien, et en n'ayant de haine pour personne. En faisant ce que l'on a à faire sans s'occuper du mal. Il ne faut pas croire au mal, tout en sachant pourtant qu'il est à l'œuvre. Avancer quoi qu'il arrive, métamorphoser la dualité, l'utiliser même pour se donner du courage : « Les chiens aboient et la caravane passe ».

On peut être harmonieux et posséder la sérénité, d'une part, et l'indignation de l'autre, car il y a trop de choses injustes, c'est-à-dire infantiles, sur cette terre. Savoir être bon d'un côté, sévère de l'autre. Savoir être confiant en Dieu, mais actif, vigilant aussi, en son nom ; savoir être impersonnel dans son action et avoir une personnalité transitoire, certes, une personnalité de fonction.

Les forces négatives ont un rôle aussi vital à jouer que les forces positives. Il faut donc bien qu'elles passent à travers des êtres humains. Soyons donc sans haine. Ne faisons pas de questions personnelles dans notre combat.

Sur le plan terrestre, il y a des ennemis qu'il faudra affronter, avec amour. Nous devons agir sans nous occuper du résultat de l'action. Il faut ne jamais dormir. Travailler pour l'amour humain est finalement toujours un succès, sur un plan ou sur un autre. En réalité, les âmes et les efforts passent d'un corps à l'autre. Rien ne meurt. Tout se transfère et se métamorphose.

Sur le plan du mal, par exemple, Hitler n'est pas mort. Le même volume de mal est toujours en ébullition. La solitude n'existe pas non plus. La solitude sentimentale n'existe pas si l'on ne veut plus faire un culte de sa douleur, si l'on se dit que le bonheur n'est pas mort. Faisons de l'altruisme actif autour de nous et nous verrons fondre le malheur.

Maurice Maeterlink a dit : « Nous devrions bénir les déceptions car, en étant déçus, nous sommes éclairés, expérimentés ».

Donc, pas de solitude sentimentale qui tienne. Le monde spirituel est plein de présences. N'est seul que l'égoïste qui est à lui-même le monde.

Pensez à la souffrance des autres, et votre souffrance sera guérie. L'âme qui nous anime a animé d'autres corps avant nous. Elle en animera d'autres après. Dire : « Pourquoi la vie ? » est absurde. Demander : « Pourquoi cette vie, sur cette terre ? », c'est poser mieux la question. La réponse est : pour remplir des missions, effectuer des expériences, semer. Il s'agit ensuite de retourner au plan spirituel, enrichis.

Personne n'est parfait. Le plus grand des êtres a toujours des défauts ; c'est merveilleux. Nous sommes donc tous situés sur le même plan : celui du banc d'essais.

Nous sommes animés par des forces, et leur travail est toujours en vue d'un amour meilleur. Si nous avons bien fait notre travail de mise en disponibilité, notre joie sera totale, notre vie aussi, et le volume du mal diminuera. Dans la mesure où l'on prend conscience et donnons l'amour, on réduit le volume du mal. Il faut faire barrage au mal en cherchant autour de nous les êtres que nous pourrions consciencialiser et polariser. La majesté divine est telle qu'elle nous les fait rencontrer sans que nous les cherchions. Le mal est transitoire et accessoire. Le mal est résistance à l'amour. Le bien est perméabilité à l'amour.

Le mal ne fait tant de progrès qu'à cause du manque de foi, de courage et d'action des « gens de bien ».

Nous vivons dans une époque charnière. Époque où l'homme va s'agrandir de tout le cosmos. Il va passer de la cécité à la lucidité. De l'âge de la violence à celui de la non-violence ; avec le temps qu'il faudra. Nous sommes appelés à voir le passage du terre-à-terre au terre-cosmos. L'homme rivé à la terre va être admis à parcourir son environnement. C'est un signe des temps. Sur le plan moral, c'est aussi un signe. Autant l'humanité va faire son expansion sur le plan cosmique, autant elle le fera sur le plan intérieur. L'homme va passer de l'état de chrysalide à celui de papillon ; de la religion extérieure à la religion intérieure, de la dualité à l'unité. Il y faudra une grande dépense d'amour.

Il faut se soumettre aux ordres pour contribuer à cette tâche historique, se faire tout petit pour sécréter de la grandeur, au nom de l'Esprit fondamental...

Alors votre vie ne sera pas un échec mais un triomphe : Celui de la conquête de vous-même.

PENSÉES POSITIVES
À MÉDITER

« L'homme est un voyageur qui a oublié le but de son voyage et qui doit retourner d'où il vient pour savoir où il va... »

CHESTERTON

« La conscience des hommes ne peut être apaisée par de nouvelles inventions mais seulement par une vie nouvelle. »

TOLSTOÏ

« La prière est la clé du matin et le verrou du soir. »

GANDHI

« On dit toujours que la fortune change les hommes, ce n'est pas tout à fait vrai : elle se contente de les démasquer. »

SPAAK

« Les morts ne sont pas des absents mais des invisibles. »

Victor HUGO

« L'homme est l'instrument de sa perfection. Il porte en lui-même toutes les forces nécessaires, il ne lui reste qu'à les développer. »

J. REYNAUD

«Heureux ceux qui ont fixé très haut leur rêve de vie, l'ont atteint et ne sont pas redescendus.»

H. Bordeaux

«Soyez votre propre flambeau et votre propre refuge.»

J.-L. Victor

«La foi est la force de la vie. Si l'homme vit, c'est qu'il croit en quelque chose.»

Tolstoï

«Vouloir est la force et attendre est la loi.»

Symbole [1]

«Seul, l'effort sur soi apprend à vaincre et à conquérir.»

Symbole [1]

«Ne dites pas qu'ils sont perdus
Tous ceux dont vous pleurez la fuite;
Ils sont partis à la poursuite
D'anciens rêves interrompus...»

Symbole [1]

«L'être conscient de ce qu'il est
s'éveille au monde et à l'univers.»

G.M. Méchoulam

«L'âme est dans le corps comme un pilote dans un navire.»

Aristote

«La jeunesse est sévère parce qu'elle juge le monde sur ce qu'elle en a appris; la vieillesse indulgente parce qu'elle le juge sur ce qu'elle a vu.»

J.-L. Victor

«Penser est facile, agir est difficile; agir suivant sa pensée est ce qu'il y a au monde de plus difficile.»

Goethe

---

[1] Lire l'ouvrage remarquable: «L'Heure des Révélations» de Jeanne Laval. À paraître aux Éditions de Mortagne.

« L'amitié est le plus parfait sentiment de l'homme, parce qu'il est le plus libre, le plus pur et le plus profond. »

LACORDAIRE

« L'homme se détruit dans la société et se reconstruit dans la solitude. »

E. JANOUX

« Fais-le bien et passe... »

Jeanne LAVAL

« L'idéal c'est d'aller avec du ciel dans l'âme,
C'est d'aller, en avant, courageux, sans détour,
C'est de garder toujours pour lumineux programme
La haine de la haine et l'amour de l'amour. »

Jeanne LAVAL

« Le monde connaît trois genres de Révolutions :
Les matérielles ont de puissants résultats ;
Les morales et intellectuelles sont infiniment plus vastes
    [dans leur horizon et plus riches dans leurs fruits.
Mais les spirituelles sont les grandes semailles. »

AUROBINDO

« Je dormais et je rêvais que la vie n'était que joie
Je m'éveillai et je vis que la vie n'était que servir
Je servis et je vis que servir était la joie. »

TAGORE

« Quand vous donnez à ceux qui sont dans le besoin, ne sonnez pas de la trompette dans la rue pour proclamer vos donations. Quiconque aide pour recevoir les louanges des hommes, reçoit les louanges des hommes. En pareil cas, la Providence Cosmique ne peut y prêter attention.

« Quand vous faites le Bien, ne laissez pas la main droite connaître le secret de la main gauche. »

J.-L. VICTOR

« La vie belle et utile est celle où l'action et la pensée se soutiennent incessamment l'une par l'autre. »

SOCRATE

« La destination de l'homme sur cette terre n'est pas le bonheur mais le perfectionnement. »

Mme DE STAEL

« La mort de l'égoïsme c'est la naissance de l'idéal spirituel. »

« La vie n'est ni bonne ni mauvaise, elle est ce que l'on sait en faire. »

L.-J. BORA

« Si l'attente est parfois insupportable c'est parce qu'inconsciemment elle rappelle l'attitude du vaincu. »

J.-L. VICTOR

« L'avocat positif ne dira jamais : vous éviterez à cet homme une condamnation parce que ce mot reste dans l'inconscient des jurés ; il dira par contre : vous lui devez l'acquitement. »

J.-L. VICTOR

« Le potentiel d'énergie de chacun de nous est un capital dont il ne faut pas dépenser les intérêts. »

J.-L. VICTOR

« Il n'est de grand amour qu'à l'ombre d'un grand rêve. »

E. ROSTAND

« Un cœur sans idéal est un ciel sans étoile. »

J.-L. VICTOR

« Dans la vie, peu sont tes amis, nul n'est ton ennemi, tous sont tes instructeurs. »

Laurence PETITJEAN

« On reste jeune tant que l'on est capable de s'enthousiasmer. »

J.-L. VICTOR

« C'est en cherchant le Bonheur de l'autre que l'on trouve le sien. »

J.-L. VICTOR

«Le couple est un bateau où les rameurs doivent avancer au même rythme.»

J.-L. Victor

«N'être pas compris! Est-il si mauvais de n'être pas compris? Pythagore ne fut pas compris, ni Socrate, ni Jésus, ni Copernic, ni Galilée ni aucun des esprits sages et purs qui se sont incarnés. Être grand est une excellente condition pour n'être pas compris.»

Emerson

«La volonté est ce pouvoir de surmonter qui est tout l'homme.»

Alain

«Rien n'est meilleur à l'âme que de faire une âme moins triste.»

J.-L. Victor

«Vouloir, ce n'est pas pouvoir, c'est s'efforcer.»

J.-L. Victor

«*Être, c'est lutter. Vivre, c'est vaincre.*»

J.-L. Victor

À PARAÎTRE PROCHAINEMENT:

- *Passeport pour vivre l'ère du Verseau*, préface de Huguette Hirzig.
- *Nous sommes tous médiums... Vous aussi.*

VAINCRE LA MORT
RÉUSSIR LA VIE

Cet ouvrage dans une approche Vécue de la Mort et de la Vie, permet de situer le sujet dans sa dimension Terrestre et Cosmique.

La Vie dit-on n'est qu'un passage. Comment réaliser ce passage ? Comment Vivre sans angoisse avec cette idée de la Mort que l'homme pressent et côtoie chaque jour, chaque minute, chaque seconde ?

Certains êtres plus avancés, que l'on appelle des « Éveillés » ont résolu ce problème : Pour eux la Vie et la Mort sont les deux faces d'une même réalité. Nous suivrons dans ce livre des êtres comme C. Flammarion, G. Bruno, Swedenborg, Paracelse, Allan Kardec... et nous verrons le parcours qu'ils ont réalisé et les réflexions lucides qui les ont amenés à concevoir un idéal de vie.

C'est cet idéal vécu que nous allons partager.

Dans la même collection : « Futur Vécu ».

ÉDITIONS DE MORTAGNE
175, De Mortagne
Boucherville, P.Q.
J4B 6G4 — Canada

COMPOSÉ AUX ATELIERS GRAPHITI INC.
À SAINT-GEORGES-DE-BEAUCE
ACHEVÉ D'IMPRIMER SUR LES PRESSES DE
L'ÉCLAIREUR LTÉE À BEAUCEVILLE